하루 한 장 75일 완성

교과
연산

E1

초5 자연수의 혼합 계산

변화를 정확히 이해해야 합니다.

수학의 기본이면서 이제는 필수가 된 연산 학습, 그런데 왜 우리 아이들은 많은 학습지를 풀고도 학교에 가면 연산 문제를 해결하지 못할까요?

지금 우리 아이들이 학습하는 교과서는 과거와는 많이 다릅니다. 단순 계산력을 확인하는 문제 대신 다양한 상황을 제시하고 상황에 맞게 문제를 해결하는 과정을 평가합니다. 그래서 단순히 계산하여 답을 내는 것보다 문장을 이해하고 상황을 판단하여 스스로 식을 세우고 문제를 해결하는 복합적인 사고 과정이 필요합니다.

그림을 보고 상황을 판단하는 능력, 그림을 보고 상황을 말로 표현하는 능력, 문장을 이해하는 능력 등 상황 판단 능력을 길러야 하는 이유입니다.

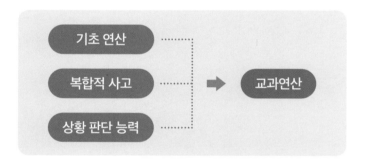

연산 원리를 학습함에 있어서도 대표적인 하나의 풀이 방법을 공식처럼 외우기만 해서는 지금의 연산 문제를 해결하기 어렵습니다. 연산 학습과 함께 다양한 방법으로 수를 분해하고 결합하는 과정, 즉 수 자체에 대한 학습도 병행되어야 합니다.

교과연산은 연산 학습과 함께 수 자체를 온전히 학습할 수 있도록 단계마다 '수특강'을 구성하고 있습니다. 계산은 문제를 해결하는 하나의 과정으로서의 의미가 큽니다.

학교에서 배우게 될 내용과 직접적으로 관련이 있는 교과연산으로 가장 먼저 시작하기를 추천드립니다.

요즘 연산은 교과 연산입니다.

"계산은 그 자체가 목적이 아닙니다. 문제를 해결하는 하나의 과정입니다."

하루 **한** 장, **75**일에 완성하는 **교과연산**

한 단계는 총 4권으로 수를 학습하는 0권과 연산을 학습하는 1권, 2권, 3권으로 구성되어 있습니다.

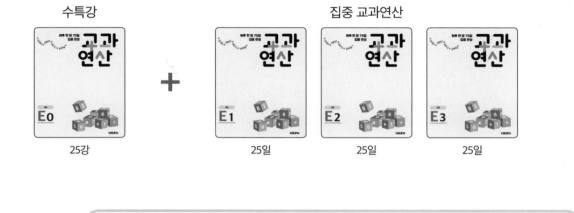

수 영역은 연산과 뗄래야 뗄 수 없습니다. 수 영역을 제대로 학습하지 않고 연산만 한다면 연산 원리를 이해하는 데 부족함이 있습니다.
교과연산은 연산 학습을 하면서 반드시 필요한 수 영역을 수특강으로 해결합니다.

기초 연산도 합니다. 연산 원리를 이해하고 계산 연습도 합니다. 그에 더해서 교과연산은 다양한 상황 문제를 제시하여 상황에 맞는 식을 세우고 문제를 해결하는 상황 판단 능력을 길러줍니다.

"연산을 이해하기 위해서는 수를 먼저 이해해야 합니다."

원리는 기본, 복합적 사고 문제까지 다루는 교과연산

원리
수와 연산의 원리를
이해하고 연습합니다.

복합적 사고
연산 원리를 이용하여
다양한 소재의 복합적
문제를 해결합니다.

상황 판단 문제
문장 이해력을 기르고
상황에 맞는 식을 세워
문제를 해결합니다.

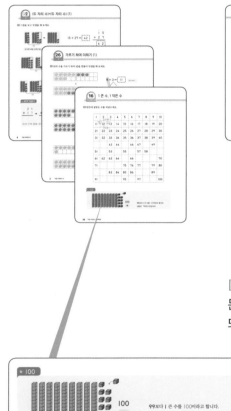

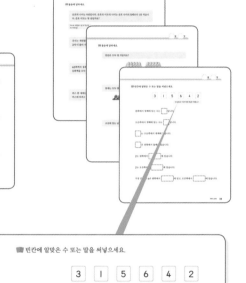

[체크 박스]
문제를 해결하는 데 도움이
되는 방향을 제시합니다.

[개념 포인트]
꼭 필요한 기본 개념을
설명합니다.

"교과연산은 꼬이고 꼬인 어려운 연산이 아닙니다.
일상 생활 속에서 상황을 판단하는 능력을 길러주는 연산입니다."

하루 **한** 장, **75**일 집중 완성 교과연산 **묻고 답하기** Q & A

Q1 왜 교과연산인가요?

지금의 교과서는 과거의 교과서와는 많이 다릅니다. 하지만 아쉽게도 기존의 연산학습지는 과거의 연산 학습 방법을 그대로 답습하고 변화를 제대로 반영하지 못하고 있습니다. 교과연산은 교과서의 변화를 정확히 이해하고 체계적으로 학습을 할 수 있도록 안내합니다.

Q2 다른 연산 교재와 어떻게 다른가요?

교과연산은 변화된 교과서의 핵심 내용인 상황 판단 능력과 복합적 사고력을 길러주는 최신 연산 프로그램입니다. 또한 연산 학습의 바탕이 되는 '수'를 수특강으로 다루고 있어 수학의 기본이 되는 연산학습을 체계적으로 학습할 수 있습니다.

Q3 학교 진도와는 맞나요?

네, 교과연산은 학교 수업 진도와 최신 개정된 교과 단원에 맞추어 개발하였습니다.

Q4 단계 선택은 어떻게 해야 할까요?

권장 연령의 학습을 추천합니다.
다만, 처음 교과 연산을 시작하는 학생이라면 한 단계 낮추어 시작하는 것도 좋습니다.

Q5 '수특강'을 먼저 해야 하나요?

'수특강'을 가장 먼저 학습하는 것을 권장합니다. P단계를 예로 들어보면 P0(수특강)을 먼저 학습한 후 차례대로 P1~P3 학습을 진행합니다. '수특강'은 각 단계의 연산 원리와 개념을 정확하게 이해하고 상황 문제를 해결하는 데 디딤돌이 되어줄 것입니다.

이 책의 차례

1주차 ▸ 덧셈과 뺄셈, 곱셈과 나눗셈   7

2주차 ▸ 덧셈, 뺄셈, 곱셈   19

3주차 ▸ 덧셈, 뺄셈, 나눗셈   31

4주차 ▸ 혼합 계산   43

5주차 ▸ 식 완성하기   55

01일~05일

1주차

덧셈과 뺄셈, 곱셈과 나눗셈

01일 덧셈과 뺄셈

02일 곱셈과 나눗셈

03일 혼합 계산하기

04일 계산식 찾기

05일 이야기하기

덧셈과 뺄셈

빈칸에 알맞은 수를 써넣어 계산해 보세요.

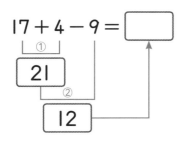

$17 + 4 - 9 =$ ☐

①
21
②
12

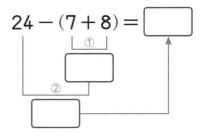

$24 - (7 + 8) =$ ☐

①
②

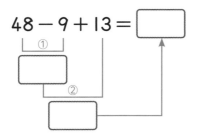

$48 - 9 + 13 =$ ☐

①
②

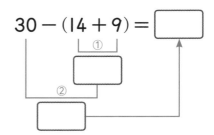

$30 - (14 + 9) =$ ☐

①
②

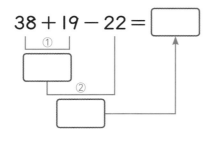

$38 + 19 - 22 =$ ☐

①
②

$55 - (21 + 14) =$ ☐

①
②

★ **덧셈, 뺄셈이 섞여 있는 식**

① 덧셈과 뺄셈이 섞여 있는 식에서는 앞에서부터 차례로 계산합니다.

② (   )가 있으면 (   ) 안을 먼저 계산합니다.

$$42 - 13 + 25 = 29 + 25 = 54$$
①
②

$$42 - (13 + 25) = 42 - 38 = 4$$
①
②

다음과 같이 계산 순서를 나타내고 계산해 보세요.

$$48 - 5 + 8 = 43 + 8 = 51$$

$$48 - (5 + 8)$$

$$60 - 24 + 9$$

$$60 - (24 + 9)$$

$$56 - 15 + 27$$

$$56 - (15 + 27)$$

$$67 - 19 + 22$$

$$67 - (19 + 22)$$

02 곱셈과 나눗셈

■ 빈칸에 알맞은 수를 써넣어 계산해 보세요.

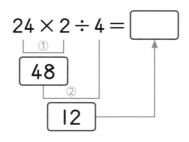

$24 \times 2 \div 4 = \boxed{}$

① $\boxed{48}$

② $\boxed{12}$

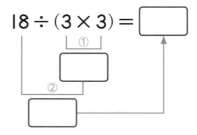

$18 \div (3 \times 3) = \boxed{}$

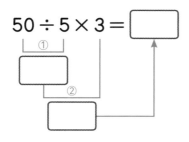

$50 \div 5 \times 3 = \boxed{}$

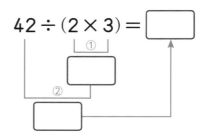

$42 \div (2 \times 3) = \boxed{}$

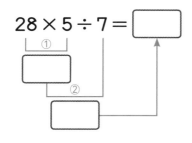

$28 \times 5 \div 7 = \boxed{}$

$56 \div (7 \times 2) = \boxed{}$

★ 곱셈, 나눗셈이 섞여 있는 식

① 곱셈과 나눗셈이 섞여 있는 식에서는 앞에서부터 차례로 계산합니다.

② ( )가 있으면 ( ) 안을 먼저 계산합니다.

$$30 \div 2 \times 3 = 15 \times 3 = 45$$

$$30 \div (2 \times 3) = 30 \div 6 = 5$$

다음과 같이 계산 순서를 나타내고 계산해 보세요.

$24 \div 2 \times 3 = 12 \times 3 = 36$

①②

$24 \div (2 \times 3)$

$60 \div 5 \times 2$

$60 \div (5 \times 2)$

$63 \div 3 \times 7$

$63 \div (3 \times 7)$

$88 \div 11 \times 4$

$88 \div (11 \times 4)$

혼합 계산하기

🔲 계산을 하세요.

$34 + 23 - 7$ $49 - (4 + 21)$

$56 - 18 + 5$ $54 - (29 + 3)$

$17 + 31 - 29$ $73 - (45 + 21)$

$13 \times 6 \div 2$ $30 \div (2 \times 5)$

$45 \div 3 \times 7$ $48 \div (3 \times 4)$

$33 \times 4 \div 3$ $80 \div (4 \times 2)$

$81 \div 3 \times 5$ $96 \div (2 \times 4)$

📘 계산 결과가 다른 식에 ◯표 하세요.

$40 + 12 - 25$

$40 - 25 + 12$

$40 - (25 + 12)$

$42 \div (2 \times 3)$

$42 \div 2 \times 3$

$42 \times 3 \div 2$

$23 - 7 + 13$

$23 - (7 + 13)$

$23 - 7 - 13$

$24 \div 4 \div 3$

$24 \div 4 \times 3$

$24 \div (4 \times 3)$

$38 - (26 - 17)$

$38 + 26 - 17$

$38 - 26 + 17$

$56 \div 4 \times 2$

$56 \div (4 \div 2)$

$56 \times 4 \div 2$

식으로 알맞게 나타낸 것에 ○표 하세요.

47과 25의 합에서 16을 뺀 수

$47 - (25 + 16)$ $47 + 25 - 16$ $47 - 25 + 16$

50에서 8과 12의 합을 뺀 수

$50 + 8 - 12$ $50 - 8 + 12$ $50 - (8 + 12)$

32를 8로 나눈 몫에 4를 곱한 수

$32 \div 8 \times 4$ $32 \times 8 \div 4$ $32 \div (8 \times 4)$

64를 4와 2의 곱으로 나눈 몫

$64 \div 4 \times 2$ $64 \div (4 \times 2)$ $64 \times 4 \div 2$

■ 문제에 알맞은 식을 찾아 잇고, 답을 구해 보세요.

버스에 36명이 타고 있었는데 정류장에서 4명이 내리고 3명이 탔습니다. 현재 버스에 타고 있는 사람은 몇 명인가요?

$36 - (4 + 3) = \boxed{}$

사탕이 36개 있었습니다. 정우가 4개, 연지가 3개 먹었다면 남은 사탕은 몇 개인가요?

$36 - 4 + 3 = \boxed{}$

구슬이 한 상자에 36개씩 모두 4상자 있습니다. 이 구슬을 3상자에 똑같이 나누어 담는다면 한 상자에 담는 구슬은 몇 개인가요?

$36 \div (4 \times 3) = \boxed{}$

초콜릿 36개를 한 상자에 4개씩 3줄로 담으려면 상자는 몇 개 필요한가요?

$36 \div 4 \times 3 = \boxed{}$

36명을 4명씩 한 모둠으로 만들고, 각 모둠에 색종이를 3장씩 나누어 주었습니다. 나누어 준 색종이는 모두 몇 장인가요?

$36 \times 4 \div 3 = \boxed{}$

식에 알맞은 문제를 만들고 있습니다. 빈칸에 알맞은 수를 써넣고, 답을 구해 보세요.

$$19 - (12 + 4)$$

지연이는 12살이고, 한솔이는 지연이보다 [ ]살 더 많습니다. 재은이가 [ ]살이라면 재은이는 한솔이보다 몇 살 더 많을까요?

( )살

$$45 \div 3 \times 5$$

무게가 모두 같은 단추 [ ]개의 무게는 45g입니다. 단추 [ ]개의 무게는 몇 g일까요?

( )g

$$72 \div (4 \times 3)$$

접시 하나에 쿠키를 [ ]개씩 3줄로 놓을 수 있습니다. 쿠키 [ ]개를 접시에 놓으려면 접시는 몇 개 필요할까요?

( )개

■ 물음에 답하세요.

운동장에 남학생이 32명, 여학생이 38명 있습니다. 이 중에서 24명이 교실로 들어갔습니다. 운동장에 남은 학생은 몇 명일까요?

식 ☐ + ☐ − ☐ = ☐   답 _____ 명

하영이는 500원짜리 지우개 1개와 600원짜리 공책 1권을 사고 2000원을 냈습니다. 거스름돈으로 얼마를 받아야 할까요?

식 ☐ − (☐ + ☐) = ☐   답 _____ 원

사과가 한 상자에 26개씩 3상자가 있습니다. 사과를 6명에게 똑같이 나누어 준다면 한 사람은 사과를 몇 개 가질까요?

식 ☐ × ☐ ÷ ☐ = ☐   답 _____ 개

한 사람이 한 시간에 꽃을 4송이 심을 수 있습니다. 5명이 꽃 80송이를 심으려면 몇 시간이 걸릴까요?

5명이 한 시간에 꽃을 몇 송이 심는지부터 구합니다.

식 ☐ ÷ (☐ × ☐) = ☐   답 _____ 시간

■ 물음에 답하세요.

> 지호는 색종이 53장을 가지고 있었는데 친구에게 16장을 주고 9장을 더 샀습니다. 지호가 가지고 있는 색종이는 몇 장인지 하나의 식으로 나타내어 구해 보세요.

식 _____ 답 _____ 장

> 현지는 3000원짜리 스케치북 1권을 샀고, 세진이는 800원짜리 색연필 1자루와 1300원짜리 공책 1권을 샀습니다. 현지는 세진이보다 얼마를 더 내야 하는지 하나의 식으로 나타내어 구해 보세요.

식 _____ 답 _____ 원

> 머핀을 한 판에 18개씩 4판을 구워서 6상자에 똑같이 나누어 담았습니다. 한 상자에 담은 머핀은 몇 개인지 하나의 식으로 나타내어 구해 보세요.

식 _____ 답 _____ 개

> 예서네 반은 5명씩 5모둠입니다. 공책 75권을 예서네 반 학생들에게 똑같이 나누어 주면 한 사람은 공책을 몇 권 받는지 하나의 식으로 나타내어 구해 보세요.

식 _____ 답 _____ 권

06일~10일

2주차 덧셈, 뺄셈, 곱셈

► 0**6**일 덧셈과 뺄셈, 곱셈

► 0**7**일 혼합 계산하기

► 0**8**일 식 만들기

► 0**9**일 계산식 찾기

► **10**일 이야기하기

06 덧셈과 뺄셈, 곱셈

■ 빈칸에 알맞은 수를 써넣어 계산해 보세요.

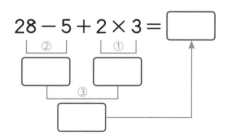

$$28 - 5 + 2 \times 3 = \boxed{}$$

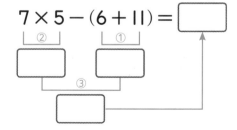

$$7 \times 5 - (6 + 11) = \boxed{}$$

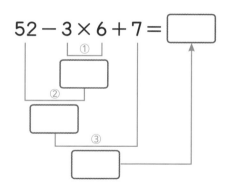

$$52 - 3 \times 6 + 7 = \boxed{}$$

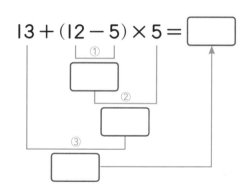

$$13 + (12 - 5) \times 5 = \boxed{}$$

★ 덧셈, 뺄셈, 곱셈이 섞여 있는 식

① 덧셈, 뺄셈, 곱셈이 섞여 있는 식에서는 곱셈을 먼저 계산한 다음 앞에서부터 차례로 계산합니다.

② ( )가 있으면 ( ) 안을 가장 먼저 계산합니다.

$$20 + 7 - 4 \times 3 = 20 + 7 - 12$$
$$= 27 - 12$$
$$= 15$$

$$20 + (7 - 4) \times 3 = 20 + 3 \times 3$$
$$= 20 + 9$$
$$= 29$$

다음과 같이 계산 순서를 나타내고 계산해 보세요.

$28 + 7 \times 3 - 1 = 28 + 21 - 1$

① ② ③

$= 49 - 1$

$= 48$

$28 + 7 \times (3 - 1)$

$10 \times 3 + 6 - 12$

$10 \times (3 + 6) - 12$

$34 - 10 + 4 \times 2$

$34 - (10 + 4) \times 2$

혼합 계산하기

📖 계산을 하세요.

$13 + 7 \times 3$

$(8 + 3) \times 7$

$50 - 4 \times 6$

$(32 - 18) \times 3$

$31 - 12 + 3 \times 2$

$19 + (12 - 6) \times 4$

$27 + 5 \times 5 - 16$

$(13 - 6) \times 4 + 20$

$36 + 4 - 2 \times 6$

$4 \times (3 + 6) - 12$

$8 \times 3 + 8 \times 5$

$7 \times 5 + (7 - 4) \times 8$

$48 - 12 \times 3 + 5 \times 4$

$(9 + 11) \times 3 - 5 \times 3$

월　일

계산 결과를 찾아 이어 보세요.

$30 - 4 \times 2 + 5$ ·

$30 - 4 \times (2 + 5)$ ·

$(30 - 4) \times 2 + 5$ ·

· 57

· 2

· 27

$17 + 6 \times 4 - 3$ ·

$(17 + 6) \times 4 - 3$ ·

$17 + 6 \times (4 - 3)$ ·

· 89

· 23

· 38

$4 \times (7 - 5) + 12$ ·

$4 \times 7 - 5 + 12$ ·

$4 \times 7 - (5 + 12)$ ·

· 11

· 20

· 35

■ 식으로 알맞게 나타낸 것에 ◯표 하세요.

50에서 4와 5의 곱을 뺀 후 7을 더한 수

$50 - 4 \times (5 + 7)$ $50 - 4 \times 5 + 7$ $(50 - 4) \times 5 + 7$

곱셈을 먼저 계산하므로 곱셈에는 ( )를
넣지 않아도 계산 결과가 같습니다.

12와 3의 합을 4배 한 수에서 6을 뺀 수

$(12 + 3) \times 4 - 6$ $12 \times 4 + 3 - 6$ $12 + 3 \times 4 - 6$

7에서 12와 5의 차를 곱한 후 15를 더한 수

$7 \times 12 - 5 + 15$ $7 \times 12 - (5 + 15)$ $7 \times (12 - 5) + 15$

8과 4의 곱과 8과 3의 차를 2배 한 수를 더한 수

$8 + 4 \times (8 - 3) + 2$ $8 \times 4 + 8 - 3 \times 2$ $8 \times 4 + (8 - 3) \times 2$

📖 하나의 식으로 나타내고 답을 구해 보세요.

26과 17의 차에서 7을 곱한 수를 구해 보세요.

식 (⬚ – ⬚) × ⬚ = ⬚　답 _____

40에서 3과 4의 합을 5배 한 수를 뺀 수를 구해 보세요.

식 ⬚ – (⬚ + ⬚) × ⬚ = ⬚　답 _____

15와 16의 합에서 2를 곱한 후 20을 뺀 수를 구해 보세요.

식 _____　답 _____

4에서 8과 2의 합을 곱한 후 13을 뺀 수를 구해 보세요.

식 _____　답 _____

7과 8의 곱에서 3과 6의 합을 뺀 수를 구해 보세요.

식 _____　답 _____

■ 문제에 알맞은 식을 찾아 이어 보세요.

사과 26개가 있었습니다. 지우네 가족 4명이 각자 사과를 2개씩 먹고 난 후, 사과 5개를 더 샀습니다. 현재 사과는 몇 개 있는지 알아봅시다.

---

① 지우네 가족이 먹은 사과의 수 •

② 지우네 가족이 먹고 남은 사과의 수 •

③ 사과를 더 산 후 사과의 수 •

• $4 \times 2 = 8$

• $26 - 4 \times 2 + 5 = 23$

• $26 - 4 \times 2 = 18$

사탕 30개를 남학생 3명과 여학생 2명이 각각 4개씩 먹었습니다. 남은 사탕은 몇 개인지 알아봅시다.

---

① 남학생과 여학생 수의 합 •

② 남학생과 여학생이 먹은 사탕의 수 •

③ 학생들이 먹고 남은 사탕의 수 •

• $(3 + 2) \times 4 = 20$

• $3 + 2 = 5$

• $30 - (3 + 2) \times 4 = 10$

문제에 알맞은 식을 찾아 잇고, 답을 구해 보세요.

크레파스는 3000원에서 800원을 뺀 금액의 2배보다 500원이 더 비쌉니다. 크레파스는 얼마인가요?

$3000 - (800 \times 2 + 500)$
=

3000원짜리 스케치북 1권과 800원짜리 공책 2권, 500원짜리 지우개 1개를 사면 얼마를 내야 하나요?

$3000 + 800 \times 2 + 500$
=

800원짜리 볼펜과 500원짜리 연필을 2자루씩 사고 3000원을 냈습니다. 거스름돈은 얼마인가요?

$(3000 - 800) \times 2 + 500$
=

800원짜리 공책 2권과 500원짜리 지우개 1개를 사고 3000원을 냈습니다. 거스름돈은 얼마인가요?

$3000 - (800 + 500) \times 2$
=

이야기하기

식에 알맞은 문제를 만들고 있습니다. 빈칸에 알맞은 수를 써넣고, 답을 구해 보세요.

$$50 - 8 \times 3$$

다혜는 ☐쪽짜리 동화책을 지금까지 **8**쪽씩 ☐번 읽었습니다. 동화책을 모두 읽으려면 몇 쪽 더 읽어야 할까요?

(   )쪽

$$(11 + 7) \times 4 - 5$$

은지의 나이는 ☐살, 동생의 나이는 **7**살입니다. 할머니의 연세는 은지와 동생의 나이를 합한 것의 ☐배보다 ☐살이 적습니다. 할머니의 연세는 몇 살일까요?

(   )살

$$20 \times 8 - 12 \times 7$$

사과가 한 상자에 **20**개씩 ☐상자가 있습니다. 사과를 하루에 ☐개씩 **7**일 동안 팔면 남은 사과는 몇 개일까요?

(   )개

📖 물음에 답하세요.

현수는 4000원을 가지고 있습니다. 가진 돈으로 800원짜리 색연필을 3자루 사고, 용돈으로 500원을 받았습니다. 현수가 가지고 있는 돈은 얼마일까요?

식 [ ] − [ ] × [ ] + [ ] = [ ]

답 [ ] 원

농장에서 토마토 52개를 땄습니다. 승우네 가족 3명과 진서네 가족 4명이 각자 토마토를 2개씩 먹었습니다. 남은 토마토는 몇 개일까요?

식 [ ] − ([ ] + [ ]) × [ ] = [ ]

답 [ ] 개

민아는 종이학을 5일 동안 매일 10개씩 접었고, 승재는 5일 중 2일을 쉬고 나머지 날은 매일 20개씩 접었습니다. 민아와 승재가 접은 종이학은 모두 몇 개일까요?

식 [ ] × [ ] + ([ ] − [ ]) × [ ] = [ ]

답 [ ] 개

물음에 답하세요.

태희는 색종이 45장을 가지고 있었는데 친구 6명에게 3장씩 주고, 8장을 더 샀습니다. 태희가 가진 색종이는 몇 장인지 하나의 식으로 나타내어 구해 보세요.

식 _____ 답 _____ 장

300원짜리 사탕과 500원짜리 초콜릿을 2개씩 사고 2000원을 냈습니다. 거스름돈은 얼마일까요?

식 _____ 답 _____ 원

준기는 12살이고, 동생은 준기보다 3살 어립니다. 아버지는 동생 나이의 5배보다 2살 더 많습니다. 아버지의 연세는 몇 살인지 하나의 식으로 나타내어 구해 보세요.

식 _____ 답 _____ 살

저금통에 10원짜리 동전이 14개, 50원짜리 동전이 7개 있습니다. 저금통에 들어 있는 동전의 금액은 모두 얼마인지 하나의 식으로 나타내어 구해 보세요.

식 _____ 답 _____ 원

11일~15일

3주차 덧셈, 뺄셈, 나눗셈

11일 덧셈과 뺄셈, 나눗셈

12일 혼합 계산하기

13일 계산 결과 비교

14일 계산식 찾기

15일 이야기하기

📘 빈칸에 알맞은 수를 써넣어 계산해 보세요.

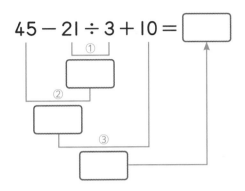

$$45 - 21 \div 3 + 10 = \boxed{}$$

① ② ③

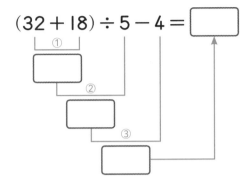

$$(32 + 18) \div 5 - 4 = \boxed{}$$

① ② ③

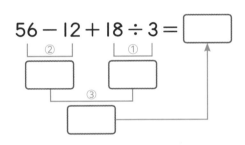

$$56 - 12 + 18 \div 3 = \boxed{}$$

② ① ③

$$14 + (42 \div 7 - 3) = \boxed{}$$

① ② ③

★ 덧셈, 뺄셈, 나눗셈이 섞여 있는 식

① 덧셈, 뺄셈, 나눗셈이 섞여 있는 식에서는 나눗셈을 먼저 계산한 다음 앞에서부터 차례로 계산합니다.

② ( )가 있으면 ( ) 안을 가장 먼저 계산합니다.

$$
\begin{aligned}
15 + 8 \div 4 - 2 &= 15 + 2 - 2 \\
&= 17 - 2 \\
&= 15
\end{aligned}
$$

① ② ③

$$
\begin{aligned}
15 + 8 \div (4 - 2) &= 15 + 8 \div 2 \\
&= 15 + 4 \\
&= 19
\end{aligned}
$$

① ② ③

■ 다음과 같이 계산 순서를 나타내고 계산해 보세요.

$$30 - 6 + 12 \div 6 = 30 - 6 + 2$$
$$= 24 + 2$$
$$= 26$$

$$30 - (6 + 12) \div 6$$

$$12 + 9 \div 3 - 5$$

$$(12 + 9) \div 3 - 5$$

$$6 + 81 - 18 \div 9$$

$$6 + (81 - 18) \div 9$$

혼합 계산하기

📘 계산을 하세요.

$23 + 15 \div 3$

$(29 + 13) \div 6$

$42 - 36 \div 9$

$(56 - 8) \div 4$

$16 + 8 - 12 \div 4$

$24 - (8 + 7) \div 5$

$50 - 40 \div 8 + 7$

$13 + 72 \div (9 - 3)$

$65 - 27 + 18 \div 2$

$(38 + 18) \div 7 - 8$

$16 \div 4 + 81 \div 9$

$16 + (28 - 64 \div 8)$

( ) 안에서도 나눗셈부터 계산합니다.

$30 - 15 \div 3 + 10 \div 5$

$25 - (20 \div 5 + 28 \div 7)$

잘못된 계산식입니다. 계산 순서를 바르게 나타내고 왼쪽과 같이 계산해 보세요.

$36 - 24 \div 8 + 9 = 36 - 3 + 9$
$= 36 - 12$
$= 24$

➡

$36 - 24 \div 8 + 9$

$21 + (42 - 14) \div 7 = 21 + 28 \div 7$
$= 49 \div 7$
$= 7$

➡

$21 + (42 - 14) \div 7$

$20 - (6 + 9 \div 3) = 20 - (15 \div 3)$
$= 20 - 5$
$= 15$

➡

$20 - (6 + 9 \div 3)$

계산 결과 비교

계산 결과를 찾아 이어 보세요.

식	값
$32 - 24 \div 2 + 4$ ·	· 8
$(32 - 24) \div 2 + 4$ ·	· 28
$32 - 24 \div (2 + 4)$ ·	· 24

식	값
$72 \div (8 - 4) + 3$ ·	· 21
$72 \div 8 - 4 + 3$ ·	· 2
$72 \div 8 - (4 + 3)$ ·	· 8

식	값
$43 - 18 + 6 \div 3$ ·	· 35
$43 - (18 + 6) \div 3$ ·	· 23
$43 - (18 + 6 \div 3)$ ·	· 27

📘 계산 결과를 비교하여 ◯ 안에 >, =, <를 알맞게 써넣으세요.

$$29 - 10 + 5 \div 5 \quad \bigcirc \quad 29 - (10 + 5) \div 5$$

$$48 \div 3 - 5 + 10 \quad \bigcirc \quad 48 \div 3 - (5 + 10)$$

$$16 + 28 \div 4 - 7 \quad \bigcirc \quad (16 + 28) \div 4 - 7$$

$$12 + 36 \div 9 - 3 \quad \bigcirc \quad 12 + 36 \div (9 - 3)$$

$$54 - 18 \div 6 + 13 \quad \bigcirc \quad (54 - 18) \div 6 + 13$$

$$18 + 45 - 12 \div 3 \quad \bigcirc \quad 18 + (45 - 12) \div 3$$

계산식 찾기

알맞은 식을 찾아 잇고, 답을 구해 보세요.

64를 12와 4의 차로 나눈 몫에서 3을 더한 수

64에서 12를 4로 나눈 몫을 뺀 다음 3을 더한 수

64와 12의 합을 4로 나눈 다음 3을 뺀 수

64를 12와 4의 합으로 나눈 몫에서 3을 뺀 수

64에서 12를 더하고 4를 뺀 수를 3으로 나눈 몫

$64 - 12 \div 4 + 3 = \boxed{}$

$(64 + 12 - 4) \div 3 = \boxed{}$

$64 \div (12 - 4) + 3 = \boxed{}$

$(64 + 12) \div 4 - 3 = \boxed{}$

$64 \div (12 + 4) - 3 = \boxed{}$

문제에 알맞은 식을 찾아 이어 보세요.

상자에 있는 밤 **20**개와 접시에 있는 밤 **15**개를 합하여 **5**명이 똑같이 나누어 가졌습니다. 각자 밤을 **3**개씩 먹었다면 한 사람에게 남은 밤은 몇 개인지 알아봅시다.

① 상자와 접시에 있는 모든 밤의 수 •

② 한 사람이 가져간 밤의 수 •

③ 한 사람이 **3**개를 먹고 남은 밤의 수 •

• $(20 + 15) \div 5 = 7$

• $(20 + 15) \div 5 - 3 = 4$

• $20 + 15 = 35$

색연필 **3**자루는 **1200**원, 공책 **1**권은 **800**원입니다. 색연필 **1**자루와 공책 **1**권을 사고 **2000**원을 내면 거스름돈은 얼마인지 알아봅시다.

① 색연필 **1**자루의 값 •

② 색연필 **1**자루와 공책 **1**권의 값 •

③ **2000**원을 내고 받은 거스름돈 •

• $1200 \div 3 + 800 = 1200$

• $1200 \div 3 = 400$

• $2000 - (1200 \div 3 + 800) = 800$

■ 식에 알맞은 문제를 만들고 있습니다. 빈칸에 알맞은 수를 써넣고, 답을 구해 보세요.

$$13 + 36 \div 4$$

민규는 노란색 색종이를 [ ]장, 초록색 색종이는 [ ]장을 똑같이 4묶음으로 나눈 것 중의 1묶음을 가지고 있습니다. 민규가 가진 색종이는 모두 몇 장일까요?

( )장

$$(40 - 5) \div 7 + 8$$

사과 40개 중 [ ]개는 썩어서 버리고 남은 사과를 [ ]명이 똑같이 나누어 가졌습니다. 그런 다음 각 사람에게 사과를 [ ]개씩 더 주었습니다. 한 사람이 가진 사과는 몇 개일까요?

( )개

$$56 \div 2 - (14 + 5)$$

어제는 수선화 [ ]송이를 똑같이 [ ]묶음으로 나눈 것 중의 1묶음을 심었고, 오늘은 장미 [ ]송이와 튤립 5송이를 심었습니다. 어제는 오늘보다 꽃을 몇 송이 더 심었을까요?

( )송이

📘 물음에 답하세요.

오전에 딴 귤 18개와 오후에 딴 귤 26개를 주호네 가족 4명이 똑같이 나누어 가졌습니다. 주호가 귤 5개를 먹었다면 주호에게 남은 귤은 몇 개일까요?

식 (☐ + ☐) ÷ ☐ − ☐ = ☐

답 _____ 개

필통 1개는 3500원, 연필 12자루는 6000원, 지우개 1개는 600원입니다. 연아는 필통 1개를 샀고, 준우는 연필 1자루와 지우개 1개를 샀습니다. 연아는 준우보다 얼마를 더 내야 할까요?

식 ☐ − (☐ ÷ ☐ + ☐) = ☐

답 _____ 원

감자는 5kg에 8000원이고, 고구마는 8kg에 9600원입니다. 감자 1kg과 고구마 1kg을 사면 얼마를 내야 할까요?

식 ☐ ÷ ☐ + ☐ ÷ ☐ = ☐

답 _____ 원

📘 물음에 답하세요.

색종이 50장 중 14장을 사용하고 남은 색종이를 6명에게 똑같이 나누어 주었습니다. 각 사람에게 색종이를 3장씩 더 주었다면 한 사람이 가진 색종이는 몇 장인지 하나의 식으로 나타내어 구해 보세요.

식

답 　　　　　　 장

송편 42개를 여학생 4명과 남학생 3명에게 똑같이 나누어 주었습니다. 학생들이 각자 송편을 2개씩 먹었다면 학생 한 명에게 남은 송편은 몇 개인지 하나의 식으로 나타내어 구해 보세요.

식

답 　　　　　　 개

주스 1병은 2700원, 요구르트 5개는 2000원입니다. 5000원으로 주스 1병과 요구르트 1개를 사면 거스름돈은 얼마인지 하나의 식으로 나타내어 구해 보세요.

식

답 　　　　　　 원

16일~20일

4주차 혼합 계산

16일 혼합 계산의 순서

17일 혼합 계산

18일 계산 결과 비교

19일 이야기하기 (1)

20일 이야기하기 (2)

■ 빈칸에 알맞은 수를 써넣어 계산해 보세요.

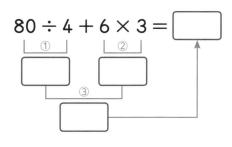

$$80 \div 4 + 6 \times 3 = \boxed{}$$

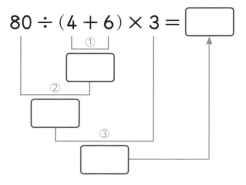

$$80 \div (4 + 6) \times 3 = \boxed{}$$

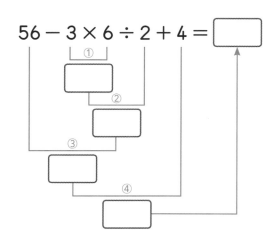

$$56 - 3 \times 6 \div 2 + 4 = \boxed{}$$

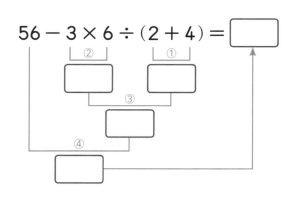

$$56 - 3 \times 6 \div (2 + 4) = \boxed{}$$

★ 덧셈, 뺄셈, 곱셈, 나눗셈이 섞여 있는 식

① 덧셈, 뺄셈, 곱셈, 나눗셈이 섞여 있는 식에서는 곱셈과 나눗셈을 먼저 계산합니다.

② 곱셈과 나눗셈이 여러 개이면 앞에 있는 곱셈 또는 나눗셈부터 차례로 계산합니다.

③ (   )가 있으면 (   ) 안을 가장 먼저 계산합니다.

$$\begin{aligned}
63 \div 3 - 4 + 3 \times 2 &= 21 - 4 + 3 \times 2 \\
&= 21 - 4 + 6 \\
&= 17 + 6 \\
&= 23
\end{aligned}$$

$$\begin{aligned}
63 \div 3 - (4 + 3) \times 2 &= 63 \div 3 - 7 \times 2 \\
&= 21 - 7 \times 2 \\
&= 21 - 14 \\
&= 7
\end{aligned}$$

다음과 같이 계산 순서를 나타내고 계산해 보세요.

$6 \times 7 - 20 + 12 \div 4 = 42 - 20 + 12 \div 4$
$= 42 - 20 + 3$
$= 22 + 3$
$= 25$

① ② ③ ④

$6 \times 7 - (20 + 12) \div 4$

$15 + 8 \times 3 - 45 \div 5$

$(15 + 8) \times 3 - 45 \div 5$

일

계산 순서에 맞게 차례로 1, 2, 3, 4를 써 보세요.

$14 - 12 \div 2 + 5 \times 3$

[ ] [1] [ ] [2]

$7 \div (10 - 3) \times 6 + 9$

[ ] [ ] [ ] [ ]

$30 - 6 \div 3 \times 4 + 19$

[ ] [ ] [ ] [ ]

$3 + 72 \div (13 - 7) \times 4$

[ ] [ ] [ ] [ ]

$(6 + 9) \div 5 \times 8 - 12$

[ ] [ ] [ ] [ ]

$34 - 8 \div (1 + 3) \times 7$

[ ] [ ] [ ] [ ]

$46 \div (15 - 8 + 16) \times 2$

[ ] [ ] [ ] [ ]

$21 - (54 \div 9 \times 3 + 2)$

[ ] [ ] [ ] [ ]

계산을 하세요.

$20 \times 3 - 45 \div 3$

$3 \times (12 + 14) \div 6$

$32 - 18 \div 2 \times 3$

$(53 - 18) \div 5 \times 8$

$72 \div 8 \times 5 + 6 - 14$

$8 + 15 \times (10 - 4) \div 2$

$15 + 2 \times 10 - 28 \div 4$

$56 - 15 \times 4 \div (5 + 7)$

$90 \div 5 + (20 - 3 \times 4)$

$(37 + 7 \times 4 - 5) \div 6$

계산 결과 비교

📖 계산 결과를 찾아 이어 보세요.

$16 - 2 \times (6 + 9) \div 3$ ·　　　　　· 7

$(16 - 2) \times 6 + 9 \div 3$ ·　　　　　· 87

$16 - 2 \times 6 + 9 \div 3$ ·　　　　　· 6

$8 \times 3 - 28 \div 4 + 10$ ·　　　　　· 22

$8 \times 3 - 28 \div (4 + 10)$ ·　　　　　· 7

$8 \times 3 - (28 \div 4 + 10)$ ·　　　　　· 27

$4 \times 12 - (10 + 15) \div 5$ ·　　　　　· 11

$4 \times (12 - 10 + 15 \div 5)$ ·　　　　　· 43

$4 \times (12 - 10) + 15 \div 5$ ·　　　　　· 20

■ 계산 결과가 더 큰 식에 ○표 하세요.

$$56 - 40 \div 4 \times 5 \qquad (56 - 40) \div 4 \times 5$$

$$7 \times 4 - 14 + 21 \div 7 \qquad 7 \times 4 - (14 + 21) \div 7$$

$$(20 - 3) \times 6 \div 2 + 4 \qquad 20 - 3 \times 6 \div (2 + 4)$$

$$54 - (5 \times 4 + 12) \div 2 \qquad 54 - 5 \times 4 + 12 \div 2$$

$$42 \div 3 + 4 \times 8 - 5 \qquad 42 \div 3 + 4 \times (8 - 5)$$

$$13 + 3 \times (8 - 30 \div 5) \qquad 13 + 3 \times 8 - 30 \div 5$$

📘 물음에 답하세요.

바나나 100g의 열량은 93킬로칼로리, 포도 100g은 60킬로칼로리입니다. 예성이는 바나나 300g과 포도 50g을 먹었습니다. 예성이가 먹은 과일의 열량을 알아봅시다.

300g   50g

바나나 300g의 열량은 얼마인지 곱셈식으로 나타내어 보세요.

식 [　] × [　] = [　]

포도 50g의 열량은 얼마인지 나눗셈식으로 나타내어 보세요.

식 [　] ÷ [　] = [　]

예성이가 먹은 과일의 열량은 얼마인지 하나의 식으로 나타내어 구해 보세요.

식 [　] × [　] + [　] ÷ [　] = [　]

답 ＿＿＿＿＿＿ 킬로칼로리

📖 물음에 답하세요.

찬영이네 반에서 꽃 150송이를 똑같이 3묶음으로 나눈 것 중의 1묶음을 샀습니다. 여학생 13명과 남학생 9명에게 꽃을 2송이씩 나누어 주면 남은 꽃은 몇 송이인지 알아봅시다.

찬영이네 반에서 산 꽃은 몇 송이인지 나눗셈식으로 나타내어 보세요.

식 _____

학생들에게 나누어 준 꽃은 몇 송이인지 하나의 식으로 나타내어 구해 보세요.

식 _____

남은 꽃은 몇 송이인지 하나의 식으로 나타내어 구해 보세요.

식 _____

답 _____ 송이

📘 물음에 답하세요.

채은이는 빵을 만들려고 **5000**원으로 다음 재료를 사 왔습니다. 남은 돈은 얼마일까요?

재료	가격	사 온 양
밀가루	1kg에 2000원	200g
버터	50g에 1200원	150g

식 ☐ − (☐ ÷ ☐ + ☐ × ☐) = ☐

답 _____ 원

온도를 나타내는 단위에는 섭씨(℃)와 화씨(℉)가 있습니다. 화씨 **86**℉를 섭씨로 나타내면 몇 도(℃)일까요?

> 화씨 온도에서 **32**를 뺍니다. 뺀 수에 **5**를 곱하고
> **9**로 나누면 섭씨 온도로 나타낼 수 있습니다.

식 (☐ − ☐) × ☐ ÷ ☐ = ☐

답 _____ ℃

물음에 답하세요.

표를 보고 지수가 먹은 음식의 열량은 몇 킬로칼로리인지 하나의 식으로 나타내어 구해 보세요.

음식	열량(킬로칼로리)
식빵 8개	824
달걀프라이 1개	110
사탕 1개	36

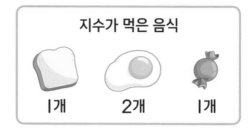

지수가 먹은 음식

1개 2개 1개

식

답   킬로칼로리

다음은 어제와 오늘 판 사과의 수입니다. 어제는 오늘보다 사과를 몇 개 더 팔았는지 하나의 식으로 나타내어 구해 보세요.

어제: 8개씩 들어 있는 봉지로 7봉지
오늘: 240개를 똑같이 6상자로 나눈 것 중의 1상자와 낱개 5개

식

답   개

■ 물음에 답하세요.

갈색 달걀 **76**개와 흰색 달걀 **24**개를 **4**가족이 똑같이 나누어 가졌습니다. 각 가족이 달걀을 하루에 **3**개씩 **6**일 동안 먹었다면 한 가족에게 남은 달걀은 몇 개인지 하나의 식으로 나타내어 구해 보세요.

식

답   개

라면 **1**인분은 **3000**원, 떡볶이 **1**인분은 **2000**원, 김밥 **3**줄은 **7500**원입니다. 라면과 떡볶이를 **2**인분씩 먹으면 김밥 **1**줄을 먹는 것 보다 얼마를 더 내야 하는지 하나의 식으로 나타내어 구해 보세요.

식

답   원

21일~25일

5주차

식 완성하기

21일 하나의 식으로 나타내기

22일 괄호와 연산 기호

23일 목표수 만들기

24일 큰 수, 작은 수

25일 이야기하기

하나의 식으로 나타내기

🔹 2개의 식을 하나의 식으로 나타내어 보세요.

| $3 \times 5 = 15$ | $42 - 15 = 27$ |

식 $42 - 3 \times 5 = 27$

| $28 \div 4 = 7$ | $13 + 7 = 20$ |

식

| $7 + 6 = 13$ | $50 - 13 = 37$ |

식

( )를 사용하여 하나의 식으로 나타냅니다.

| $5 \times 2 = 10$ | $90 \div 10 = 9$ |

식

| $18 + 9 = 27$ | $27 \div 3 - 5 = 4$ |

식

| $3 \times 4 = 12$ | $15 + 36 \div 12 = 18$ |

식

식을 계산하는 과정입니다. 하나의 식으로 나타내고, 계산 순서를 나타내어 보세요.

① $15 + 6 = 21$
② $21 \div 3 = 7$
③ $7 \times 8 = 56$

➡

$$(15 + 6) \div 3 \times 8 = 56$$

① $4 \times 5 = 20$
② $26 - 20 = 6$
③ $6 + 10 = 16$

➡

① $22 - 5 = 17$
② $3 \times 17 = 51$
③ $51 + 9 = 60$

➡

① $54 \div 9 = 6$
② $6 \times 3 = 18$
③ $25 - 18 = 7$

➡

괄호와 연산 기호

🟦 식이 성립하도록 ( )로 묶어 보세요.

$30 + 55 \div 11 - 6 = 41$

나눗셈 부분은 ( )로 묶어도 계산 순서가 바뀌지 않습니다.

$16 - 7 \times 3 + 8 = 35$

$6 \times 9 - 7 + 12 = 24$

$32 - 24 + 28 \div 4 = 19$

$32 + 18 \div 5 - 4 = 6$

$39 - 30 \div 3 \times 5 = 37$

$4 + 18 \div 3 \times 2 - 5 = 2$

$7 \times 4 + 15 \div 9 - 6 = 33$

$12 - 6 \times 4 + 8 \div 2 = 28$

$10 \times 8 \div 4 - 2 + 9 = 49$

식이 성립하도록 ◯ 안에 주어진 연산 기호를 한 번씩 써넣으세요.

26 ◯ 15 ◯ 9 = 20

36 ◯ (6 ◯ 3) = 2

30 ◯ 10 ◯ 2 = 35

17 ◯ (8 ◯ 4) = 68

4 ◯ 7 ◯ 3 ◯ 10 = 15

40 ◯ (4 ◯ 2) ◯ 3 = 2

18 ◯ 3 ◯ 8 ◯ 4 = 56

(15 ◯ 6) ◯ 3 ◯ 4 = 7

일

수 카드를 한 번씩 사용하여 여러 가지 식을 완성해 보세요.

| 2 | 4 | 7 |

$\square \times \square + 28 \div \square = 21$

$\square \times \square + 28 \div \square = 42$

| 1 | 5 | 9 |

$24 \div (\square - \square) + \square = 7$

$24 \div (\square - \square) + \square = 15$

| 1 | 3 | 4 | 6 |

$\square + \square \times \square - \square = 17$

$\square + \square \times \square - \square = 22$

| 2 | 3 | 7 | 9 |

$(\square - \square) \div \square + \square = 10$

$(\square - \square) \div \square + \square = 11$

| 2 | 4 | 5 | 8 |

$\square + \square \times \square \div \square = 6$

$\square + \square \times \square \div \square = 18$

| 3 | 5 | 6 | 7 |

$\square \times (\square + \square) - \square = 26$

$\square \times (\square + \square) - \square = 44$

수 카드를 한 번씩 사용하여 여러 가지 식을 완성해 보세요.

1 5 8

$\square + 3 - (\square + \square) = 5$

$\square \div (\square - 3) + \square = 5$

2 4 7

$\square \times 8 \div \square - \square = 9$

$\square - (\square + \square) + 8 = 9$

1 2 7 9

$\square \times \square - \square \times \square = 11$

$\square \div \square \times \square - \square = 11$

3 4 5 6

$\square \times \square - (\square + \square) = 1$

$\square - (\square + \square) \div \square = 1$

2 3 5 8

$\square \times \square \div \square - \square = 7$

$(\square - \square) \div \square + \square = 7$

2 5 6 7

$(\square + \square) \times \square - \square = 15$

$\square \times (\square - \square) - \square = 15$

수 카드를 한 번씩 사용하여 주어진 식을 만들려고 합니다. 계산 결과가 가장 클 때와 가장 작을 때의 식을 각각 쓰고 계산해 보세요. (단, 계산 결과는 0보다 커야 합니다.)

| 3 | 5 | 8 |

➡ 가장 클 때: $\square \times \square + \square = \underline{}$

가장 작을 때: $\square \times \square + \square = \underline{}$

| 2 | 4 | 8 |

➡ 가장 클 때: $\square \times \square \div \square = \underline{}$

가장 작을 때: $\square \times \square \div \square = \underline{}$

계산 결과가 크려면 작은 수로 나누어야 합니다.

| 4 | 6 | 7 |

➡ 가장 클 때: $\square \times (\square - \square) = \underline{}$

가장 작을 때: $\square \times (\square - \square) = \underline{}$

| 3 | 6 | 9 |

➡ 가장 클 때: $(\square + \square) \div \square = \underline{}$

가장 작을 때: $(\square + \square) \div \square = \underline{}$

수 카드를 한 번씩 사용하여 주어진 식을 만들려고 합니다. 계산 결과가 가장 클 때와 가장 작을 때의 식을 각각 쓰고 계산해 보세요. (단, 계산 결과는 0보다 커야 합니다.)

| 2 | 3 | 5 |

➡

가장 클 때: $30 \div (\boxed{} \times \boxed{}) + \boxed{} = \underline{}$

가장 작을 때: $30 \div (\boxed{} \times \boxed{}) + \boxed{} = \underline{}$

| 3 | 4 | 6 |

➡

가장 클 때: $12 \times \boxed{} \div \boxed{} + \boxed{} = \underline{}$

가장 작을 때: $12 \times \boxed{} \div \boxed{} + \boxed{} = \underline{}$

계산 결과가 크려면 큰 수를 곱하고 작은 수로 나누어야 합니다.

| 3 | 4 | 9 |

➡

가장 클 때: $(\boxed{} - \boxed{}) \times \boxed{} + 11 = \underline{}$

가장 작을 때: $(\boxed{} - \boxed{}) \times \boxed{} + 11 = \underline{}$

| 1 | 7 | 8 |

➡

가장 클 때: $65 - \boxed{} \times (\boxed{} + \boxed{}) = \underline{}$

가장 작을 때: $65 - \boxed{} \times (\boxed{} + \boxed{}) = \underline{}$

과일의 가격을 보고, 하나의 식으로 나타내어 답을 구해 보세요.

사과 1개 800원	귤 10개 3000원	감 6개 4200원

사과 3개와 귤 1개의 가격은 얼마인가요?

식

답 　　　　원

감 1개는 귤 1개보다 얼마 더 비싼가요?

식

답 　　　　원

사과 1개와 감 1개를 사고 2000원을 냈습니다. 거스름돈은 얼마인가요?

식

답 　　　　원

음식의 열량을 보고, 하나의 식으로 나타내어 답을 구해 보세요.

음식	우유 1잔	바나나 1개	시리얼 10g	케이크 80g
열량(킬로칼로리)	135	100	40	230

재희는 우유 2잔과 케이크 40g을 먹었습니다. 재희가 먹은 음식의 열량은 몇 킬로칼로리인가요?

식 _____

답 _____ 킬로칼로리

다은이는 우유 1잔, 바나나 반 개, 시리얼 30g을 먹었습니다. 다은이가 먹은 음식의 열량은 몇 킬로칼로리인가요?

식 _____

답 _____ 킬로칼로리

진우는 바나나 4개를 먹었고, 승하는 우유 1잔과 케이크 80g을 먹었습니다. 진우가 먹은 음식의 열량은 승하보다 얼마 더 많은가요?

식 _____

답 _____ 킬로칼로리

음식의 가격을 보고, 하나의 식으로 나타내어 답을 구해 보세요.

음식	김밥 I줄	떡볶이 I인분	튀김 4개	돈가스 I인분
가격	2500원	3000원	2000원	7000원

승기는 돈가스 I인분을 먹었고, 유진이는 김밥 I줄과 떡볶이 I인분을 먹었습니다. 승기는 유진이보다 얼마를 더 내야 하나요?

식

답   원

하준이와 친구들이 김밥 I줄, 떡볶이 2인분, 튀김 2개를 먹는다면 얼마를 내야 하나요?

식

답   원

세인이는 김밥 2줄과 튀김 I개를 먹고 I0000원을 냈습니다. 거스름돈은 얼마인가요?

식

답   원

하루 한 장 75일
집중 완성

연산원리 상황판단 복합사고 문제해결

교과
연산

정답

초5

E1

자연수의 혼합 계산

HERO

정답

01 덧셈과 뺄셈

월 일

빈칸에 알맞은 수를 써넣어 계산해 보세요.

$17 + 4 - 9 = \boxed{12}$
21
12

$24 - (7 + 8) = \boxed{9}$
15
9

$48 - 9 + 13 = \boxed{52}$
39
52

$30 - (14 + 9) = \boxed{7}$
23
7

$38 + 19 - 22 = \boxed{35}$
57
35

$55 - (21 + 14) = \boxed{20}$
35
20

★ 덧셈, 뺄셈이 섞여 있는 식

① 덧셈과 뺄셈이 섞여 있는 식에서는 앞에서부터 차례로 계산합니다.
② ( )가 있으면 ( )안을 먼저 계산합니다.

$42 - 13 + 25 = 29 + 25 = 54$

$42 - (13 + 25) = 42 - 38 = 4$

다음과 같이 계산 순서를 나타내고 계산해 보세요.

$48 - 5 + 8 = 43 + 8 = 51$

$48 - (5 + 8) = 48 - 13 = 35$

$60 - 24 + 9 = 36 + 9 = 45$

$60 - (24 + 9) = 60 - 33 = 27$

$56 - 15 + 27 = 41 + 27 = 68$

$56 - (15 + 27) = 56 - 42 = 14$

$67 - 19 + 22 = 48 + 22 = 70$

$67 - (19 + 22) = 67 - 41 = 26$

02 곱셈과 나눗셈

월 일

빈칸에 알맞은 수를 써넣어 계산해 보세요.

$24 \times 2 \div 4 = \boxed{12}$
48
12

$18 \div (3 \times 3) = \boxed{2}$
9
2

$50 \div 5 \times 3 = \boxed{30}$
10
30

$42 \div (2 \times 3) = \boxed{7}$
6
7

$28 \times 5 \div 7 = \boxed{20}$
140
20

$56 \div (7 \times 2) = \boxed{4}$
14
4

★ 곱셈, 나눗셈이 섞여 있는 식

① 곱셈과 나눗셈이 섞여 있는 식에서는 앞에서부터 차례로 계산합니다.
② ( )가 있으면 ( )안을 먼저 계산합니다.

$30 \div 2 \times 3 = 15 \times 3 = 45$

$30 \div (2 \times 3) = 30 \div 6 = 5$

다음과 같이 계산 순서를 나타내고 계산해 보세요.

$24 \div 2 \times 3 = 12 \times 3 = 36$

$24 \div (2 \times 3) = 24 \div 6 = 4$

$60 \div 5 \times 2 = 12 \times 2 = 24$

$60 \div (5 \times 2) = 60 \div 10 = 6$

$63 \div 3 \times 7 = 21 \times 7 = 147$

$63 \div (3 \times 7) = 63 \div 21 = 3$

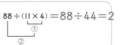
$88 \div 11 \times 4 = 8 \times 4 = 32$

$88 \div (11 \times 4) = 88 \div 44 = 2$

03 혼합 계산하기

📝 계산을 하세요.

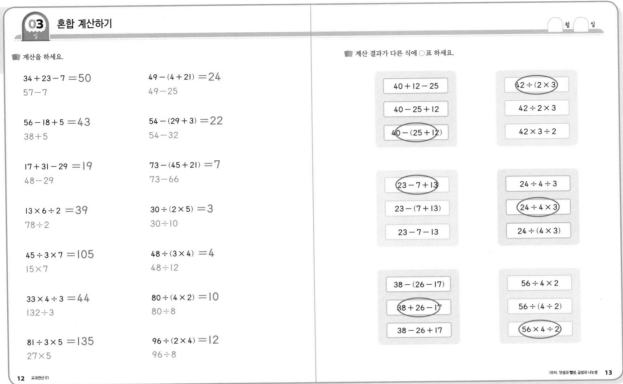

$34 + 23 - 7 = 50$
$57 - 7$

$49 - (4 + 21) = 24$
$49 - 25$

$56 - 18 + 5 = 43$
$38 + 5$

$54 - (29 + 3) = 22$
$54 - 32$

$17 + 31 - 29 = 19$
$48 - 29$

$73 - (45 + 21) = 7$
$73 - 66$

$13 \times 6 \div 2 = 39$
$78 \div 2$

$30 \div (2 \times 5) = 3$
$30 \div 10$

$45 \div 3 \times 7 = 105$
15×7

$48 \div (3 \times 4) = 4$
$48 \div 12$

$33 \times 4 \div 3 = 44$
$132 \div 3$

$80 \div (4 \times 2) = 10$
$80 \div 8$

$81 \div 3 \times 5 = 135$
27×5

$96 \div (2 \times 4) = 12$
$96 \div 8$

📝 계산 결과가 다른 식에 ◯표 하세요.

$40 + 12 - 25$		$42 \div (2 \times 3)$
$40 - 25 + 12$		$42 \div 2 \times 3$
⦿$40 - (25 + 12)$		$42 \times 3 \div 2$

⦿$23 - 7 + 13$		$24 \div 4 \div 3$
$23 - (7 + 13)$		⦿$24 \div 4 \times 3$
$23 - 7 - 13$		$24 \div (4 \times 3)$

$38 - (26 - 17)$		$56 \div 4 \times 2$
⦿$38 + 26 - 17$		$56 \div (4 \div 2)$
$38 - 26 + 17$		⦿$56 \times 4 \div 2$

---

04 계산식 찾기

📝 식으로 알맞게 나타낸 것에 ◯표 하세요.

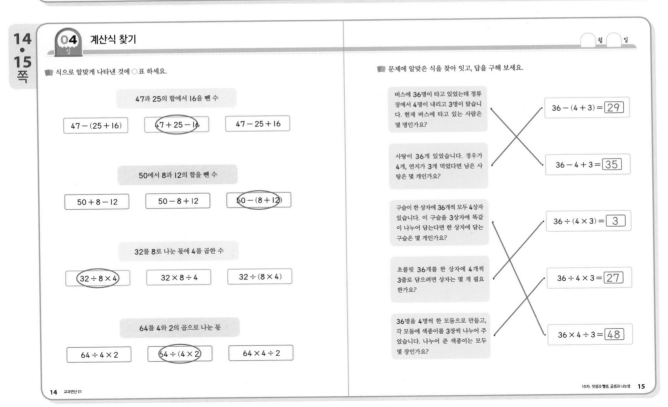

47과 25의 합에서 16을 뺀 수

| $47 - (25 + 16)$ | ⦿$47 + 25 - 16$ | $47 - 25 + 16$ |

50에서 8과 12의 합을 뺀 수

| $50 + 8 - 12$ | $50 - 8 + 12$ | ⦿$50 - (8 + 12)$ |

32를 8로 나눈 몫에 4를 곱한 수

| ⦿$32 \div 8 \times 4$ | $32 \times 8 \div 4$ | $32 \div (8 \times 4)$ |

64를 4와 2의 곱으로 나눈 몫

| $64 \div 4 \times 2$ | ⦿$64 \div (4 \times 2)$ | $64 \times 4 \div 2$ |

📝 문제에 알맞은 식을 찾아 잇고, 답을 구해 보세요.

버스에 36명이 타고 있었는데 정류장에서 4명이 내리고 3명이 탔습니다. 현재 버스에 타고 있는 사람은 몇 명인가요?

사탕이 36개 있었습니다. 경우가 4개, 연지가 3개 먹었다면 남은 사탕은 몇 개인가요?

구슬이 한 상자에 36개씩 모두 4상자 있습니다. 이 구슬을 3상자에 똑같이 나누어 담는다면 한 상자에 담는 구슬은 몇 개인가요?

초콜릿 36개를 한 상자에 4개씩 3줄로 담으려면 상자는 몇 개 필요한가요?

36명을 4명씩 한 모둠으로 만들고, 각 모둠에 색종이를 3장씩 나누어 주었습니다. 나누어 준 색종이는 모두 몇 장인가요?

$36 - (4 + 3) = \boxed{29}$

$36 - 4 + 3 = \boxed{35}$

$36 \div (4 \times 3) = \boxed{3}$

$36 \div 4 \times 3 = \boxed{27}$

$36 \times 4 \div 3 = \boxed{48}$

05 이야기하기

월 일

식에 알맞은 문제를 만들고 있습니다. 빈칸에 알맞은 수를 써넣고, 답을 구해 보세요.

$$19 - (12 + 4)$$

지연이는 12살이고, 한솔이는 지연이보다 **4** 살 더 많습니다. 재은이가 **19** 살이라면 재은이는 한솔이보다 몇 살 더 많을까요?

(**3**)살

$$45 \div 3 \times 5$$

무게가 모두 같은 단추 **3** 개의 무게는 45g입니다. 단추 **5** 개의 무게는 몇 g일까요?

(**75**)g

$$72 \div (4 \times 3)$$

접시 하나에 쿠키를 **4** 개씩 3줄로 놓을 수 있습니다. 쿠키 **72** 개를 접시에 놓으려면 접시는 몇 개 필요할까요?

(**6**)개

물음에 답하세요.

운동장에 남학생이 32명, 여학생이 38명 있습니다. 이 중에서 24명이 교실로 들어갔습니다. 운동장에 남은 학생은 몇 명일까요?

식 $\boxed{32} + \boxed{38} - \boxed{24} = \boxed{46}$ 답 **46** 명

하영이는 500원짜리 지우개 1개와 600원짜리 공책 1권을 사고 2000원을 냈습니다. 거스름돈으로 얼마를 받아야 할까요?

식 $\boxed{2000} - (\boxed{500} + \boxed{600}) = \boxed{900}$ 답 **900** 원

사과가 한 상자에 26개씩 3상자가 있습니다. 사과를 6명에게 똑같이 나누어 준다면 한 사람은 사과를 몇 개 가질까요?

식 $\boxed{26} \times \boxed{3} \div \boxed{6} = \boxed{13}$ 답 **13** 개

한 사람이 한 시간에 꽃을 4송이 심을 수 있습니다. 5명이 꽃 80송이를 심으려면 몇 시간이 걸릴까요?

5명이 한 시간에 꽃을 몇 송이 심을 수 있는지부터 구합니다.

식 $\boxed{80} \div (\boxed{5} \times \boxed{4}) = \boxed{4}$ 답 **4** 시간

또는 4   5

물음에 답하세요.

지호는 색종이 53장을 가지고 있었는데 친구에게 16장을 주고 9장을 더 샀습니다. 지호가 가지고 있는 색종이는 몇 장인지 하나의 식으로 나타내어 구해 보세요.

식 $53 - 16 + 9 = 46$ 답 **46** 장

현지는 3000원짜리 스케치북 1권을 샀고, 세진이는 800원짜리 색연필 1자루와 1300원짜리 공책 1권을 샀습니다. 현지는 세진이보다 얼마를 더 내야 하는지 하나의 식으로 나타내어 구해 보세요.

식 $3000 - (800 + 1300) = 900$ 답 **900** 원

머핀을 한 판에 18개씩 4판을 구워서 6상자에 똑같이 나누어 담았습니다. 한 상자에 담은 머핀은 몇 개인지 하나의 식으로 나타내어 구해 보세요.

식 $18 \times 4 \div 6 = 12$ 답 **12** 개

예서네 반은 5명씩 5모둠입니다. 공책 75권을 예서네 반 학생들에게 똑같이 나누어 주면 한 사람은 공책을 몇 권 받는지 하나의 식으로 나타내어 구해 보세요.

식 $75 \div (5 \times 5) = 3$ 답 **3** 권

06 덧셈과 뺄셈, 곱셈

빈칸에 알맞은 수를 써넣어 계산해 보세요.

$28 - 5 + 2 \times 3 = \boxed{29}$
②23 ①6
③29

$7 \times 5 - (6 + 11) = \boxed{18}$
②35 ①17
③18

$52 - 3 \times 6 + 7 = \boxed{41}$
①18
②34
③41

$13 + (12 - 5) \times 5 = \boxed{48}$
①7
②35
③48

✱ 덧셈, 뺄셈, 곱셈이 섞여 있는 식

① 덧셈, 뺄셈, 곱셈이 섞여 있는 식에서는 곱셈을 먼저 계산한 다음 앞에서부터 차례로 계산합니다.
② ( )가 있으면 ( ) 안을 가장 먼저 계산합니다.

$20 + 7 - 4 \times 3 = 20 + 7 - 12$
$= 27 - 12$
$= 15$

$20 + (7 - 4) \times 3 = 20 + 3 \times 3$
$= 20 + 9$
$= 29$

다음과 같이 계산 순서를 나타내고 계산해 보세요.

$28 + 7 \times 3 - 1 = 28 + 21 - 1$
$= 49 - 1$
$= 48$

$28 + 7 \times (3 - 1) = 28 + 7 \times 2$
$= 28 + 14$
$= 42$

$10 \times 3 + 6 - 12 = 30 + 6 - 12$
$= 36 - 12$
$= 24$

$10 \times (3 + 6) - 12 = 10 \times 9 - 12$
$= 90 - 12$
$= 78$

$34 - 10 + 4 \times 2 = 34 - 10 + 8$
$= 24 + 8$
$= 32$

$34 - (10 + 4) \times 2 = 34 - 14 \times 2$
$= 34 - 28$
$= 6$

---

07 혼합 계산하기

계산을 하세요.

$13 + 7 \times 3 = 34$
21
34

$(8 + 3) \times 7 = 77$
11
77

$50 - 4 \times 6 = 26$
24
26

$(32 - 18) \times 3 = 42$
14
42

$31 - 12 + 3 \times 2 = 25$
19 6
25

$19 + (12 - 6) \times 4 = 43$
6
24
43

$27 + 5 \times 5 - 16 = 36$
25
52
36

$(13 - 6) \times 4 + 20 = 48$
7
28
48

$36 + 4 - 2 \times 6 = 28$
40 12
28

$4 \times (3 + 6) - 12 = 24$
36
24

$8 \times 3 + 8 \times 5 = 64$
24 40
64

$7 \times 5 + (7 - 4) \times 8 = 59$
35 3
24
59

$48 - 12 \times 3 + 5 \times 4 = 32$
36 20
12
32

$(9 + 11) \times 3 - 5 \times 3 = 45$
20 15
60
45

계산 결과를 찾아 이어 보세요.

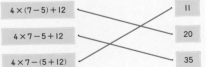

$30 - 4 \times 2 + 5$	57
$30 - 4 \times (2 + 5)$	2
$(30 - 4) \times 2 + 5$	27

$17 + 6 \times 4 - 3$	89
$(17 + 6) \times 4 - 3$	23
$17 + 6 \times (4 - 3)$	38

$4 \times (7 - 5) + 12$	11
$4 \times 7 - 5 + 12$	20
$4 \times 7 - (5 + 12)$	35

24·25쪽

08 식 만들기

월 일

■ 식으로 알맞게 나타낸 것에 ○표 하세요.

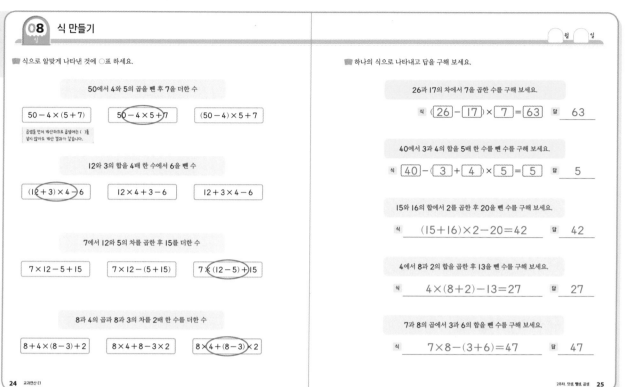

50에서 4와 5의 곱을 뺀 후 7을 더한 수

$50-4×(5+7)$ ⟨$50-4×5+7$⟩ $(50-4)×5+7$

곱셈을 먼저 계산하므로 곱셈에는 ( )를
넣지 않아도 계산한 결과가 같습니다.

12와 3의 합을 4배 한 수에서 6을 뺀 수

⟨$(12+3)×4-6$⟩ $12×4+3-6$ $12+3×4-6$

7에서 12와 5의 차를 곱한 후 15를 더한 수

$7×12-5+15$ $7×12-(5+15)$ ⟨$7×(12-5)+15$⟩

8과 4의 곱과 8과 3의 차를 2배 한 수를 더한 수

$8+4×(8-3)+2$ $8×4+8-3×2$ ⟨$8×4+(8-3)×2$⟩

■ 하나의 식으로 나타내고 답을 구해 보세요.

26과 17의 차에서 7을 곱한 수를 구해 보세요.

식 $(\boxed{26}-\boxed{17})×\boxed{7}=\boxed{63}$ 답 63

40에서 3과 4의 합을 5배 한 수를 뺀 수를 구해 보세요.

식 $\boxed{40}-(\boxed{3}+\boxed{4})×\boxed{5}=\boxed{5}$ 답 5

15와 16의 합에서 2를 곱한 후 20을 뺀 수를 구해 보세요.

식 $(15+16)×2-20=42$ 답 42

4에서 8과 2의 합을 곱한 후 13을 뺀 수를 구해 보세요.

식 $4×(8+2)-13=27$ 답 27

7과 8의 곱에서 3과 6의 합을 뺀 수를 구해 보세요.

식 $7×8-(3+6)=47$ 답 47

26·27쪽

09 계산식 찾기

월 일

■ 문제에 알맞은 식을 찾아 이어 보세요.

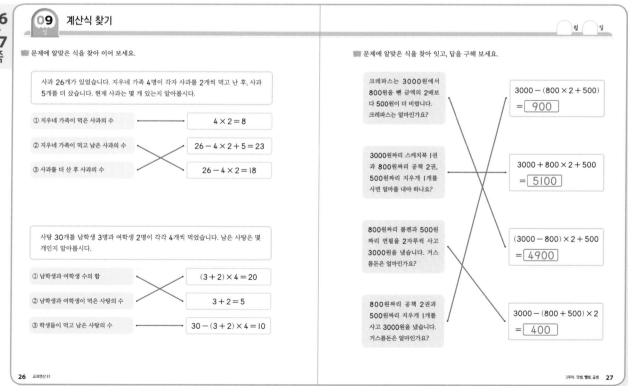

사과 26개가 있었습니다. 지우네 가족 4명이 각자 사과를 2개씩 먹고 난 후, 사과 5개를 더 샀습니다. 현재 사과는 몇 개 있는지 알아봅시다.

① 지우네 가족이 먹은 사과의 수 ——— $4×2=8$

② 지우네 가족이 먹고 남은 사과의 수 $26-4×2+5=23$

③ 사과를 더 산 후 사과의 수 $26-4×2=18$

사탕 30개를 남학생 3명과 여학생 2명이 각각 4개씩 먹었습니다. 남은 사탕은 몇 개인지 알아봅시다.

① 남학생과 여학생 수의 합 $(3+2)×4=20$

② 남학생과 여학생이 먹은 사탕의 수 $3+2=5$

③ 학생들이 먹고 남은 사탕의 수 ——— $30-(3+2)×4=10$

■ 문제에 알맞은 식을 찾아 잇고, 답을 구해 보세요.

크레파스는 3000원에서 800원을 뺀 금액의 2배보다 500원이 더 비쌉니다. 크레파스는 얼마인가요?

3000원짜리 스케치북 1권과 800원짜리 공책 2권, 500원짜리 지우개 1개를 사면 얼마를 내야 하나요?

800원짜리 볼펜과 500원짜리 연필을 2자루씩 사고 3000원을 냈습니다. 거스름돈은 얼마인가요?

800원짜리 공책 2권과 500원짜리 지우개 1개를 사고 3000원을 냈습니다. 거스름돈은 얼마인가요?

$3000-(800×2+500)$
$=\boxed{900}$

$3000+800×2+500$
$=\boxed{5100}$

$(3000-800)×2+500$
$=\boxed{4900}$

$3000-(800+500)×2$
$=\boxed{400}$

10 이야기하기

■ 식에 알맞은 문제를 만들고 있습니다. 빈칸에 알맞은 수를 써넣고, 답을 구해 보세요.

$$50 - 8 \times 3$$

다혜는 $\boxed{50}$ 쪽짜리 동화책을 지금까지 8쪽씩 $\boxed{3}$ 번 읽었습니다. 동화책을 모두 읽으려면 몇 쪽 더 읽어야 할까요?

(26)쪽

$$(11 + 7) \times 4 - 5$$

은지의 나이는 $\boxed{11}$ 살, 동생의 나이는 7살입니다. 할머니의 연세는 은지와 동생의 나이를 합한 것의 $\boxed{4}$ 배보다 $\boxed{5}$ 살이 적습니다. 할머니의 연세는 몇 살일까요?

(67)살

$$20 \times 8 - 12 \times 7$$

사과가 한 상자에 20개씩 $\boxed{8}$ 상자가 있습니다. 사과를 하루에 $\boxed{12}$ 개씩 7일 동안 팔면 남은 사과는 몇 개일까요?

(76)개

■ 물음에 답하세요.

현수는 4000원을 가지고 있습니다. 가진 돈으로 800원짜리 색연필을 3자루 사고, 용돈으로 500원을 받았습니다. 현수가 가지고 있는 돈은 얼마일까요?

식 $\boxed{4000} - \boxed{800} \times \boxed{3} + \boxed{500} = \boxed{2100}$

답 2100 원

농장에서 토마토 52개를 땄습니다. 승우네 가족 3명과 진서네 가족 4명이 각자 토마토를 2개씩 먹었습니다. 남은 토마토는 몇 개일까요?

식 $\boxed{52} - (\boxed{3} + \boxed{4}) \times \boxed{2} = \boxed{38}$

답 38 개

민아는 종이학을 5일 동안 매일 10개씩 접었고, 승재는 5일 중 2일을 쉬고 나머지 날은 매일 20개씩 접었습니다. 민아와 승재가 접은 종이학은 모두 몇 개일까요?

식 $\boxed{5} \times \boxed{10} + (\boxed{5} - \boxed{2}) \times \boxed{20} = \boxed{110}$

답 110 개

■ 물음에 답하세요.

태희는 색종이 45장을 가지고 있었는데 친구 6명에게 3장씩 주고, 8장을 더 샀습니다. 태희가 가진 색종이는 몇 장인지 하나의 식으로 나타내어 구해 보세요.

식 $45 - 6 \times 3 + 8 = 35$ 답 35 장

300원짜리 사탕과 500원짜리 초콜릿을 2개씩 사고 2000원을 냈습니다. 거스름돈은 얼마일까요?

식 $2000 - (300 + 500) \times 2 = 400$ 답 400 원

준기는 12살이고, 동생은 준기보다 3살 어립니다. 아버지는 동생 나이의 5배보다 2살 더 많습니다. 아버지의 연세는 몇 살인지 하나의 식으로 나타내어 구해 보세요.

식 $(12 - 3) \times 5 + 2 = 47$ 답 47 살

저금통에 10원짜리 동전이 14개, 50원짜리 동전이 7개 있습니다. 저금통에 들어 있는 동전의 금액은 모두 얼마인지 하나의 식으로 나타내어 구해 보세요.

식 $10 \times 14 + 50 \times 7 = 490$ 답 490 원

정답

<table><tr><td>

32 · 33 쪽

</td></tr></table>

11 덧셈과 뺄셈, 나눗셈

월 일

■ 빈칸에 알맞은 수를 써넣어 계산해 보세요.

$$45 - 21 \div 3 + 10 = \boxed{48}$$
7
38
48

$$(32 + 18) \div 5 - 4 = \boxed{6}$$
50
10
6

$$56 - 12 + 18 \div 3 = \boxed{50}$$
44   6
50

$$14 + (42 \div 7 - 3) = \boxed{17}$$
6
3
17

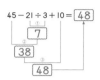

★ 덧셈, 뺄셈, 나눗셈이 섞여 있는 식

① 덧셈, 뺄셈, 나눗셈이 섞여 있는 식에서는 나눗셈을 먼저 계산한 다음 앞에서부터 차례로 계산합니다.
② ( )가 있으면 ( ) 안을 가장 먼저 계산합니다.

$$15 + 8 \div 4 - 2 = 15 + 2 - 2$$
$$= 17 - 2$$
$$= 15$$

$$15 + 8 \div (4 - 2) = 15 + 8 \div 2$$
$$= 15 + 4$$
$$= 19$$

■ 다음과 같이 계산 순서를 나타내고 계산해 보세요.

$$30 - 6 + 12 \div 6 = 30 - 6 + 2$$
$$= 24 + 2$$
$$= 26$$

$$30 - (6 + 12) \div 6 = 30 - 18 \div 6$$
$$= 30 - 3$$
$$= 27$$

$$12 + 9 \div 3 - 5 = 12 + 3 - 5$$
$$= 15 - 5$$
$$= 10$$

$$(12 + 9) \div 3 - 5 = 21 \div 3 - 5$$
$$= 7 - 5$$
$$= 2$$

$$6 + 81 - 18 \div 9 = 6 + 81 - 2$$
$$= 87 - 2$$
$$= 85$$

$$6 + (81 - 18) \div 9 = 6 + 63 \div 9$$
$$= 6 + 7$$
$$= 13$$

<table><tr><td>

34 · 35 쪽

</td></tr></table>

12 혼합 계산하기

월 일

■ 계산을 하세요.

$$23 + 15 \div 3 = 28$$
5
28

$$(29 + 13) \div 6 = 7$$
42
7

$$42 - 36 \div 9 = 38$$
4
38

$$(56 - 8) \div 4 = 12$$
48
12

$$16 + 8 - 12 \div 4 = 21$$
24   3
21

$$24 - (8 + 7) \div 5 = 21$$
15   3
21

$$50 - 40 \div 8 + 7 = 52$$
5
45
52

$$13 + 72 \div (9 - 3) = 25$$
6
12
25

$$65 - 27 + 18 \div 2 = 47$$
38   9
47

$$(38 + 18) \div 7 - 8 = 0$$
56
8
0

$$16 \div 4 + 81 \div 9 = 13$$
4   9
13

$$16 + (28 - 64 \div 8) = 36$$
8
20
36

$$30 - 15 \div 3 + 10 \div 5 = 27$$
5   2
25
27

$$25 - (20 \div 5 + 28 \div 7) = 17$$
4   4
8
17

■ 잘못된 계산식입니다. 계산 순서를 바르게 나타내고 왼쪽과 같이 계산해 보세요.

$$36 - 24 \div 8 + 9 = 36 - 3 + 9$$
$$= 36 - 12$$
$$= 24$$

➡

$$36 - 24 \div 8 + 9 = 36 - 3 + 9$$
$$= 33 + 9$$
$$= 42$$

$$21 + (42 - 14) \div 7 = 21 + 28 \div 7$$
$$= 49 \div 7$$
$$= 7$$

➡

$$21 + (42 - 14) \div 7 = 21 + 28 \div 7$$
$$= 21 + 4$$
$$= 25$$

$$20 - (6 + 9 \div 3) = 20 - (15 \div 3)$$
$$= 20 - 5$$
$$= 15$$

➡

$$20 - (6 + 9 \div 3) = 20 - (6 + 3)$$
$$= 20 - 9$$
$$= 11$$

⑬ 계산 결과 비교

■ 계산 결과를 찾아 이어 보세요.

■ 계산 결과를 비교하여 ○ 안에 >, =, <를 알맞게 써넣으세요.

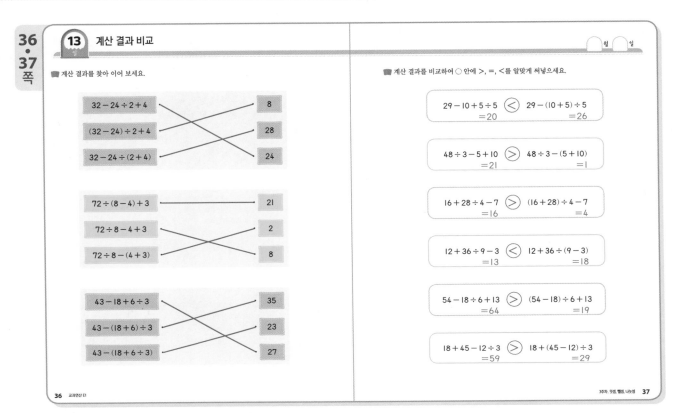

⑭ 계산식 찾기

■ 알맞은 식을 찾아 잇고, 답을 구해 보세요.

■ 문제에 알맞은 식을 찾아 이어 보세요.

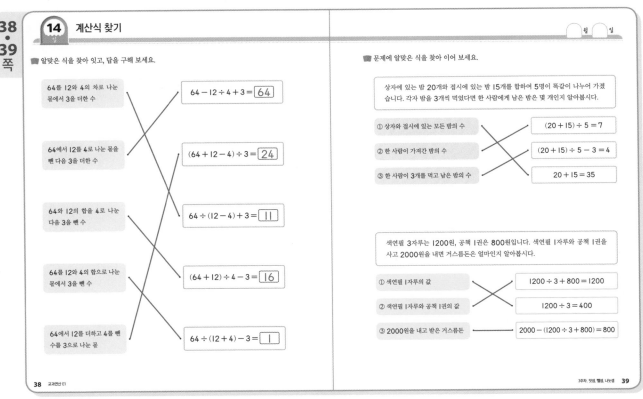

정답 **9**

15 이야기하기

월 일

■ 식에 알맞은 문제를 만들고 있습니다. 빈칸에 알맞은 수를 써넣고, 답을 구해 보세요.

$$13 + 36 \div 4$$

민규는 노란색 색종이를 $\boxed{13}$장, 초록색 색종이는 $\boxed{36}$장을 똑같이 4묶음으로 나눈 것 중의 1묶음을 가지고 있습니다. 민규가 가진 색종이는 모두 몇 장일까요?

(22)장

$$(40 - 5) \div 7 + 8$$

사과 40개 중 $\boxed{5}$개는 썩어서 버리고 남은 사과를 $\boxed{7}$명이 똑같이 나누어 가졌습니다. 그런 다음 각 사람에게 사과를 $\boxed{8}$개씩 더 주었습니다. 한 사람이 가진 사과는 몇 개일까요?

(13)개

$$56 \div 2 - (14 + 5)$$

어제는 수선화 $\boxed{56}$송이를 똑같이 $\boxed{2}$묶음으로 나눈 것 중의 1묶음을 심었고, 오늘은 장미 $\boxed{14}$송이와 튤립 5송이를 심었습니다. 어제는 오늘보다 꽃을 몇 송이 더 심었을까요?

(9)송이

■ 물음에 답하세요.

오전에 딴 귤 18개와 오후에 딴 귤 26개를 주호네 가족 4명이 똑같이 나누어 가졌습니다. 주호가 귤 5개를 먹었다면 주호에게 남은 귤은 몇 개일까요?

식 $(\boxed{18} + \boxed{26}) \div \boxed{4} - \boxed{5} = \boxed{6}$

답 6 개

필통 1개는 3500원, 연필 12자루는 6000원, 지우개 1개는 600원입니다. 연아는 필통 1개를 샀고, 준우는 연필 1자루와 지우개 1개를 샀습니다. 연아는 준우보다 얼마를 더 내야 할까요?

식 $\boxed{3500} - (\boxed{6000} \div \boxed{12} + \boxed{600}) = \boxed{2400}$

답 2400 원

감자는 5kg에 8000원이고, 고구마는 8kg에 9600원입니다. 감자 1kg과 고구마 1kg을 사면 얼마를 내야 할까요?

식 $\boxed{8000} \div \boxed{5} + \boxed{9600} \div \boxed{8} = \boxed{2800}$

답 2800 원

■ 물음에 답하세요.

색종이 50장 중 14장을 사용하고 남은 색종이를 6명에게 똑같이 나누어 주었습니다. 각 사람에게 색종이를 3장씩 더 주었다면 한 사람이 가진 색종이는 몇 장인지 하나의 식으로 나타내어 구해 보세요.

식 $(50 - 14) \div 6 + 3 = 9$

답 9 장

송편 42개를 여학생 4명과 남학생 3명에게 똑같이 나누어 주었습니다. 학생들이 각자 송편을 2개씩 먹었다면 학생 한 명에게 남은 송편은 몇 개인지 하나의 식으로 나타내어 구해 보세요.

식 $42 \div (4 + 3) - 2 = 4$

답 4 개

주스 1병은 2700원, 요구르트 5개는 2000원입니다. 5000원으로 주스 1병과 요구르트 1개를 사면 거스름돈은 얼마인지 하나의 식으로 나타내어 구해 보세요.

식 $5000 - (2700 + 2000 \div 5) = 1900$

답 1900 원

16 혼합 계산의 순서

■ 빈칸에 알맞은 수를 써넣어 계산해 보세요.

$80 \div 4 + 6 \times 3 = \boxed{38}$

$80 \div (4+6) \times 3 = \boxed{24}$

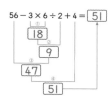

$56 - 3 \times 6 \div 2 + 4 = \boxed{51}$

$56 - 3 \times 6 \div (2+4) = \boxed{53}$

★ 덧셈, 뺄셈, 곱셈, 나눗셈이 섞여 있는 식

① 덧셈, 뺄셈, 곱셈, 나눗셈이 섞여 있는 식에서는 곱셈과 나눗셈을 먼저 계산합니다.
② 곱셈과 나눗셈이 여러 개이면 앞에 있는 곱셈 또는 나눗셈부터 차례로 계산합니다.
③ ( )가 있으면 ( ) 안을 가장 먼저 계산합니다.

$63 \div 3 - 4 + 3 \times 2 = 21 - 4 + 3 \times 2$
$= 21 - 4 + 6$
$= 17 + 6$
$= 23$

$63 \div 3 - (4 + 3) \times 2 = 63 \div 3 - 7 \times 2$
$= 21 - 7 \times 2$
$= 21 - 14$
$= 7$

■ 다음과 같이 계산 순서를 나타내고 계산해 보세요.

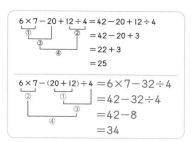

$6 \times 7 - 20 + 12 \div 4 = 42 - 20 + 12 \div 4$
$= 42 - 20 + 3$
$= 22 + 3$
$= 25$

$6 \times 7 - (20 + 12) \div 4 = 6 \times 7 - 32 \div 4$
$= 42 - 32 \div 4$
$= 42 - 8$
$= 34$

$15 + 8 \times 3 - 45 \div 5 = 15 + 24 - 45 \div 5$
$= 15 + 24 - 9$
$= 39 - 9$
$= 30$

$(15 + 8) \times 3 - 45 \div 5 = 23 \times 3 - 45 \div 5$
$= 69 - 45 \div 5$
$= 69 - 9$
$= 60$

17 혼합 계산

■ 계산 순서에 맞게 차례로 1, 2, 3, 4를 써 보세요.

$14 - 12 \div 2 + 5 \times 3$
$\boxed{3}\ \boxed{1}\ \boxed{4}\ \boxed{2}$

$7 \div (10 - 3) \times 6 + 9$
$\boxed{2}\ \boxed{1}\ \boxed{3}\ \boxed{4}$

$30 - 6 \div 3 \times 4 + 19$
$\boxed{3}\ \boxed{1}\ \boxed{2}\ \boxed{4}$

$3 + 72 \div (13 - 7) \times 4$
$\boxed{4}\ \boxed{2}\ \boxed{1}\ \boxed{3}$

$(6 + 9) \div 5 \times 8 - 12$
$\boxed{1}\ \boxed{2}\ \boxed{3}\ \boxed{4}$

$34 - 8 \div (1 + 3) \times 7$
$\boxed{4}\ \boxed{2}\ \boxed{1}\ \boxed{3}$

$46 \div (15 - 8 + 16) \times 2$
$\boxed{3}\ \boxed{1}\ \boxed{2}\ \boxed{4}$

$21 - (54 \div 9 \times 3 + 2)$
$\boxed{4}\ \boxed{1}\ \boxed{2}\ \boxed{3}$

■ 계산을 하세요.

$20 \times 3 - 45 \div 3 = 45$

$3 \times (12 + 14) \div 6 = 13$
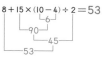

$32 - 18 \div 2 \times 3 = 5$

$(53 - 18) \div 5 \times 8 = 56$

$72 \div 8 \times 5 + 6 - 14 = 37$

$8 + 15 \times (10 - 4) \div 2 = 53$

$15 + 2 \times 10 - 28 \div 4 = 28$

$56 - 15 \times 4 \div (5 + 7) = 51$

$90 \div 5 + (20 - 3 \times 4) = 26$

$(37 + 7 \times 4 - 5) \div 6 = 10$
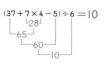

48·49쪽

18 계산 결과 비교

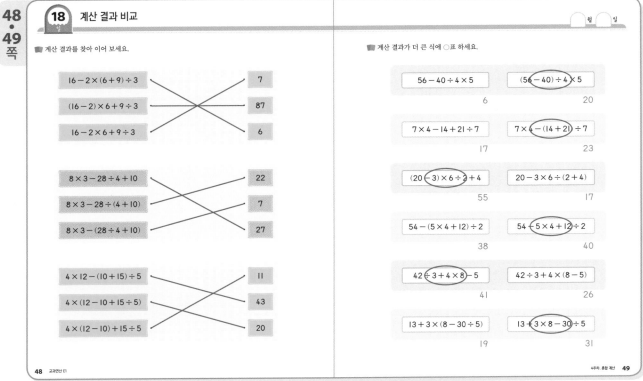

■ 계산 결과를 찾아 이어 보세요.

$16 - 2 \times (6 + 9) \div 3$ → 7
$(16 - 2) \times 6 + 9 \div 3$ → 87
$16 - 2 \times 6 + 9 \div 3$ → 6

$8 \times 3 - 28 \div 4 + 10$ → 22
$8 \times 3 - 28 \div (4 + 10)$ → 7
$8 \times 3 - (28 \div 4 + 10)$ → 27

$4 \times 12 - (10 + 15) \div 5$ → 11
$4 \times (12 - 10 + 15 \div 5)$ → 43
$4 \times (12 - 10) + 15 \div 5$ → 20

■ 계산 결과가 더 큰 식에 ○표 하세요.

$56 - 40 \div 4 \times 5$　　$(56 - 40) \div 4 \times 5$
6　　　　　　　　　　20

$7 \times 4 - 14 + 21 \div 7$　　$7 \times 4 - (14 + 21) \div 7$
17　　　　　　　　　　23

$(20 - 3) \times 6 \div 2 + 4$　　$20 - 3 \times 6 \div (2 + 4)$
55　　　　　　　　　　17

$54 - (5 \times 4 + 12) \div 2$　　$54 - 5 \times 4 + 12 \div 2$
38　　　　　　　　　　40

$42 \div 3 + 4 \times 8 - 5$　　$42 \div 3 + 4 \times (8 - 5)$
41　　　　　　　　　　26

$13 + 3 \times (8 - 30 \div 5)$　　$13 + 3 \times 8 - 30 \div 5$
19　　　　　　　　　　31

50·51쪽

19 이야기하기 (1)

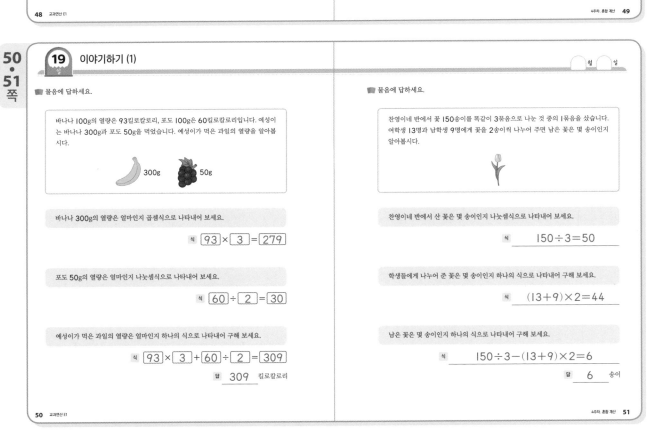

■ 물음에 답하세요.

바나나 100g의 열량은 93킬로칼로리, 포도 100g은 60킬로칼로리입니다. 예성이는 바나나 300g과 포도 50g을 먹었습니다. 예성이가 먹은 과일의 열량을 알아봅시다.

300g　　50g

바나나 300g의 열량은 얼마인지 곱셈식으로 나타내어 보세요.

식 $93 \times 3 = 279$

포도 50g의 열량은 얼마인지 나눗셈식으로 나타내어 보세요.

식 $60 \div 2 = 30$

예성이가 먹은 과일의 열량은 얼마인지 하나의 식으로 나타내어 구해 보세요.

식 $93 \times 3 + 60 \div 2 = 309$

답 309 킬로칼로리

■ 물음에 답하세요.

찬영이네 반에서 꽃 150송이를 똑같이 3묶음으로 나눈 것 중의 1묶음을 샀습니다. 여학생 13명과 남학생 9명에게 꽃을 2송이씩 나누어 주면 남은 꽃은 몇 송이인지 알아봅시다.

찬영이네 반에서 산 꽃은 몇 송이인지 나눗셈식으로 나타내어 보세요.

식 $150 \div 3 = 50$

학생들에게 나누어 준 꽃은 몇 송이인지 하나의 식으로 나타내어 구해 보세요.

식 $(13 + 9) \times 2 = 44$

남은 꽃은 몇 송이인지 하나의 식으로 나타내어 구해 보세요.

식 $150 \div 3 - (13 + 9) \times 2 = 6$

답 6 송이

20 이야기하기 (2)

월 일

물음에 답하세요.

채은이는 빵을 만들려고 5000원으로 다음 재료를 사 왔습니다. 남은 돈은 얼마일까요?

재료	가격	사 온 양
밀가루	1kg에 2000원	200g
버터	50g에 1200원	150g

식 $5000 - (2000 ÷ 5 + 1200 × 3) = 1000$

답 1000 원

온도를 나타내는 단위에는 섭씨(℃)와 화씨(℉)가 있습니다. 화씨 86℉를 섭씨로 나타내면 몇 도(℃)일까요?

화씨 온도에서 32를 뺍니다. 뺀 수에 5를 곱하고 9로 나누면 섭씨 온도로 나타낼 수 있습니다.

식 $(86 - 32) × 5 ÷ 9 = 30$

답 30 ℃

물음에 답하세요.

표를 보고 지수가 먹은 음식의 열량은 몇 킬로칼로리인지 하나의 식으로 나타내어 구해 보세요.

음식	열량(킬로칼로리)
식빵 8개	824
달걀프라이 1개	110
사탕 1개	36

지수가 먹은 음식
1개 2개 1개

식 $824 ÷ 8 + 110 × 2 + 36 = 359$

답 359 킬로칼로리

다음은 어제와 오늘 판 사과의 수입니다. 어제는 오늘보다 사과를 몇 개 더 팔았는지 하나의 식으로 나타내어 구해 보세요.

어제: 8개씩 들어 있는 봉지로 7봉지
오늘: 240개를 똑같이 6상자로 나눈 것 중의 1상자와 낱개 5개

식 $8 × 7 - (240 ÷ 6 + 5) = 11$

답 11 개

물음에 답하세요.

갈색 달걀 76개와 흰색 달걀 24개를 4가족이 똑같이 나누어 가졌습니다. 각 가족이 달걀을 하루에 3개씩 6일 동안 먹었다면 한 가족에게 남은 달걀은 몇 개인지 하나의 식으로 나타내어 구해 보세요.

식 $(76 + 24) ÷ 4 - 3 × 6 = 7$

답 7 개

라면 1인분은 3000원, 떡볶이 1인분은 2000원, 김밥 3줄은 7500원입니다. 라면과 떡볶이를 2인분씩 먹으면 김밥 1줄을 먹는 것 보다 얼마를 더 내야 하는지 하나의 식으로 나타내어 구해 보세요.

식 $(3000 + 2000) × 2 - 7500 ÷ 3 = 7500$

답 7500 원

21 **하나의 식으로 나타내기**

📖 2개의 식을 하나의 식으로 나타내어 보세요.

| $3 \times 5 = 15$　$42 - 15 = 27$ | 식　$42 - 3 \times 5 = 27$ |

| $28 \div 4 = 7$　$13 + 7 = 20$ | 식　$13 + 28 \div 4 = 20$ |

| $7 + 6 = 13$　$50 - 13 = 37$ | 식　$50 - (7 + 6) = 37$
( )를 사용하여 하나의 식으로 나타냅니다. |

| $5 \times 2 = 10$　$90 \div 10 = 9$ | 식　$90 \div (5 \times 2) = 9$ |

| $18 + 9 = 27$　$27 \div 3 - 5 = 4$ | 식　$(18 + 9) \div 3 - 5 = 4$ |

| $3 \times 4 = 12$　$15 + 36 \div 12 = 18$ | 식　$15 + 36 \div (3 \times 4) = 18$ |

📖 식을 계산하는 과정입니다. 하나의 식으로 나타내고, 계산 순서를 나타내어 보세요.

① $15 + 6 = 21$
② $21 \div 3 = 7$
③ $7 \times 8 = 56$
➡ $(15 + 6) \div 3 \times 8 = 56$

① $4 \times 5 = 20$
② $26 - 20 = 6$
③ $6 + 10 = 16$
➡ $26 - 4 \times 5 + 10 = 16$

① $22 - 5 = 17$
② $3 \times 17 = 51$
③ $51 + 9 = 60$
➡ $3 \times (22 - 5) + 9 = 60$

① $54 \div 9 = 6$
② $6 \times 3 = 18$
③ $25 - 18 = 7$
➡ $25 - 54 \div 9 \times 3 = 7$

22 **괄호와 연산 기호**

📖 식이 성립하도록 ( )로 묶어 보세요.

$30 + 55 \div (11 - 6) = 41$	$(16 - 7) \times 3 + 8 = 35$
나눗셈 부분은 ( )로 묶어도 계산 순서가 바뀌지 않습니다.	
$6 \times (9 - 7) + 12 = 24$	$32 - (24 + 28) \div 4 = 19$
$(32 + 18) \div 5 - 4 = 6$	$39 - 30 \div (3 \times 5) = 37$
$4 + 18 \div (3 \times 2) - 5 = 2$	$7 \times 4 + 15 \div (9 - 6) = 33$
$(12 - 6) \times 4 + 8 \div 2 = 28$	$10 \times 8 \div (4 - 2) + 9 = 49$

📖 식이 성립하도록 ○ 안에 주어진 연산 기호를 한 번씩 써넣으세요.

$+$　$-$
$26 \ominus 15 \oplus 9 = 20$

$\times$　$\div$
$36 \div (6 \otimes 3) = 2$

$+$　$\div$
$30 \oplus 10 \oslash 2 = 35$

$-$　$\times$
$17 \otimes (8 \ominus 4) = 68$

$+$　$-$　$\times$
$4 \oplus 7 \otimes 3 \ominus 10 = 15$

$-$　$\times$　$\div$
$40 \oslash (4 \otimes 2) \ominus 3 = 2$

$+$　$\times$　$\div$
$18 \otimes 3 \oplus 8 \oslash 4 = 56$

$+$　$-$　$\div$
$(15 \ominus 6) \oslash 3 \oplus 4 = 7$

23 목표수 만들기

월 일

■ 수 카드를 한 번씩 사용하여 여러 가지 식을 완성해 보세요.

2 4 7

또는 7   2
$\boxed{2} \times \boxed{7} + 28 \div \boxed{4} = 21$

$\boxed{4} \times \boxed{7} + 28 \div \boxed{2} = 42$
또는 7   4

1 5 9

$24 \div (\boxed{9} - \boxed{5}) + \boxed{1} = 7$

$24 \div (\boxed{5} - \boxed{1}) + \boxed{9} = 15$

1 3 4 6

또는 4   3
$\boxed{6} + \boxed{3} \times \boxed{4} - \boxed{1} = 17$

$\boxed{1} + \boxed{4} \times \boxed{6} - \boxed{3} = 22$
또는 6   4

2 3 7 9

$(\boxed{9} - \boxed{3}) \div \boxed{2} + \boxed{7} = 10$

$(\boxed{7} - \boxed{3}) \div \boxed{2} + \boxed{9} = 11$

2 4 5 8

또는 4   2
$\boxed{5} + \boxed{2} \times \boxed{4} \div \boxed{8} = 6$

$\boxed{8} + \boxed{4} \times \boxed{5} \div \boxed{2} = 18$
또는 5   4

3 5 6 7

또는 6   5
$\boxed{3} \times (\boxed{5} + \boxed{6}) - \boxed{7} = 26$

$\boxed{5} \times (\boxed{3} + \boxed{7}) - \boxed{6} = 44$
또는 7   3

■ 수 카드를 한 번씩 사용하여 여러 가지 식을 완성해 보세요.

1 5 8

또는 1   5
$\boxed{8} + 3 - (\boxed{5} + \boxed{1}) = 5$

$\boxed{8} \div (\boxed{5} - 3) + \boxed{1} = 5$

2 4 7

$\boxed{4} \times 8 \div \boxed{2} - \boxed{7} = 9$

$\boxed{7} - (\boxed{2} + \boxed{4}) + 8 = 9$
또는 4   2

1 2 7 9

또는 9   2또는 7   1
$\boxed{2} \times \boxed{9} - \boxed{1} \times \boxed{7} = 11$

$\boxed{9} \div \boxed{1} \times \boxed{2} - \boxed{7} = 11$
또는 2   1   9   7

3 4 5 6

또는 4   3또는 6   5
$\boxed{3} \times \boxed{4} - (\boxed{5} + \boxed{6}) = 1$

$\boxed{3} - (\boxed{4} + \boxed{6}) \div \boxed{5} = 1$
또는 6   4

2 3 5 8

또는 8   3
$\boxed{3} \times \boxed{8} \div \boxed{2} - \boxed{5} = 7$

$(\boxed{8} - \boxed{2}) \div \boxed{3} + \boxed{5} = 7$

2 5 6 7

또는 6   5
$(\boxed{5} + \boxed{6}) \times \boxed{2} - \boxed{7} = 15$

$\boxed{7} \times (\boxed{5} - \boxed{2}) - \boxed{6} = 15$

---

24 큰 수, 작은 수

월 일

■ 수 카드를 한 번씩 사용하여 주어진 식을 만들려고 합니다. 계산 결과가 가장 클 때와 가장 작을 때의 식을 각각 쓰고 계산해 보세요. (단, 계산 결과는 0보다 커야 합니다.)

3 5 8

또는 8   5
가장 클 때: $\boxed{5} \times \boxed{8} + \boxed{3} = \underline{43}$

가장 작을 때: $\boxed{3} \times \boxed{5} + \boxed{8} = \underline{23}$
또는 5   3
$3 \times 8 + 5 = 29$

2 4 8

또는 8   4
가장 클 때: $\boxed{4} \times \boxed{8} \div \boxed{2} = \underline{16}$

가장 작을 때: $\boxed{2} \times \boxed{4} \div \boxed{8} = \underline{1}$
또는 4   2
계산 결과가 0이면 작은 수로 나누어야 합니다.
$2 \times 8 \div 4 = 4$

4 6 7

가장 클 때: $\boxed{6} \times (\boxed{7} - \boxed{4}) = \underline{18}$

가장 작을 때: $\boxed{4} \times (\boxed{7} - \boxed{6}) = \underline{4}$
$7 \times (6 - 4) = 14$

3 6 9

또는 9   6
가장 클 때: $(\boxed{6} + \boxed{9}) \div \boxed{3} = \underline{5}$

가장 작을 때: $(\boxed{3} + \boxed{6}) \div \boxed{9} = \underline{1}$
또는 6   3
$(3 + 9) \div 6 = 2$

■ 수 카드를 한 번씩 사용하여 주어진 식을 만들려고 합니다. 계산 결과가 가장 클 때와 가장 작을 때의 식을 각각 쓰고 계산해 보세요. (단, 계산 결과는 0보다 커야 합니다.)

2 3 5

또는 3   2
가장 클 때: $30 \div \boxed{2} \times \boxed{3} + \boxed{5} = \underline{10}$

가장 작을 때: $30 \div \boxed{3} \times \boxed{5} + \boxed{2} = \underline{4}$
또는 5   3
$30 \div (2 \times 5) + 3 = 6$

3 4 6

가장 클 때: $12 \times \boxed{6} \div \boxed{3} + \boxed{4} = \underline{28}$

가장 작을 때: $12 \times \boxed{3} \div \boxed{6} + \boxed{4} = \underline{10}$
계산 결과가 크려면 큰 수를 곱하고 작은 수로 나누어야 합니다.
$12 \times 6 \div 4 + 3 = 21$ $12 \times 4 \div 3 + 6 = 22$
$12 \times 3 \div 4 + 6 = 15$ $12 \times 4 \div 6 + 3 = 11$

3 4 9

가장 클 때: $(\boxed{9} - \boxed{3}) \times \boxed{4} + 11 = \underline{35}$

가장 작을 때: $(\boxed{4} - \boxed{3}) \times \boxed{9} + 11 = \underline{20}$
$(9 - 4) \times 3 + 11 = 26$

1 7 8

또는 8   7
가장 클 때: $65 - \boxed{1} \times (\boxed{7} + \boxed{8}) = \underline{50}$

가장 작을 때: $65 - \boxed{8} \times (\boxed{1} + \boxed{7}) = \underline{1}$
또는 7   1
$65 - 7 \times (1 + 8) = 2$

25 이야기하기

월 일

🍎 과일의 가격을 보고, 하나의 식으로 나타내어 답을 구해 보세요.

사과 1개 800원	귤 10개 3000원	감 6개 4200원

사과 3개와 귤 1개의 가격은 얼마인가요?

식 $800 \times 3 + 3000 \div 10 = 2700$

답 2700 원

감 1개는 귤 1개보다 얼마 더 비싼가요?

식 $4200 \div 6 - 3000 \div 10 = 400$

답 400 원

사과 1개와 감 1개를 사고 2000원을 냈습니다. 거스름돈은 얼마인가요?

식 $2000 - (800 + 4200 \div 6) = 500$

답 500 원

🍱 음식의 열량을 보고, 하나의 식으로 나타내어 답을 구해 보세요.

음식	우유 1잔	바나나 1개	시리얼 10g	케이크 80g
열량(킬로칼로리)	135	100	40	230

재희는 우유 2잔과 케이크 40g을 먹었습니다. 재희가 먹은 음식의 열량은 몇 킬로칼로리인가요?

식 $135 \times 2 + 230 \div 2 = 385$

답 385 킬로칼로리

다은이는 우유 1잔, 바나나 반 개, 시리얼 30g을 먹었습니다. 다은이가 먹은 음식의 열량은 몇 킬로칼로리인가요?

식 $135 + 100 \div 2 + 40 \times 3 = 305$

답 305 킬로칼로리

진우는 바나나 4개를 먹었고, 승하는 우유 1잔과 케이크 80g을 먹었습니다. 진우가 먹은 음식의 열량은 승하보다 얼마 더 많은가요?

식 $100 \times 4 - (135 + 230) = 35$

답 35 킬로칼로리

🍱 음식의 가격을 보고, 하나의 식으로 나타내어 답을 구해 보세요.

음식	김밥 1줄	떡볶이 1인분	튀김 4개	돈가스 1인분
가격	2500원	3000원	2000원	7000원

승기는 돈가스 1인분을 먹었고, 유진이는 김밥 1줄과 떡볶이 1인분을 먹었습니다. 승기는 유진이보다 얼마를 더 내야 하나요?

식 $7000 - (2500 + 3000) = 1500$

답 1500 원

하준이와 친구들이 김밥 1줄, 떡볶이 2인분, 튀김 2개를 먹는다면 얼마를 내야 하나요?

식 $2500 + 3000 \times 2 + 2000 \div 2 = 9500$

답 9500 원

세인이는 김밥 2줄과 튀김 1개를 먹고 10000원을 냈습니다. 거스름돈은 얼마인가요?

식 $10000 - (2500 \times 2 + 2000 \div 4) = 4500$

답 4500 원

하루 한 장 75일
집중 완성

교과 연산

"연산을 이해하려면 수를 먼저 이해해야 합니다."

"계산은 문제를 해결하는 하나의 과정입니다."

"교과연산은 상황을 판단하는 능력을 길러줍니다."